ZEZÉ MOTTA
UM CANTO DE LUTA E RESISTÊNCIA

CACAU HYGINO

ZEZÉ MOTTA

UM CANTO DE LUTA E RESISTÊNCIA

Companhia
Editora Nacional

© 2018, Companhia Editora Nacional.
© 2018, Cacau Hygino.
Todos os direitos reservados. Nenhuma parte desta obra pode ser reproduzida ou transmitida por qualquer forma ou meio eletrônico, inclusive fotocópia, gravação ou sistema de armazenagem e recuperação de informação.

Diretor superintendente: Jorge Yunes
Diretora editorial: Soraia Luana Reis
Editor: Alexandre Staut
Assistência editorial: Chiara Mikalauskas Provenza
Revisão: Valéria Braga Sanalios
Coordenação de arte: Juliana Ida
Assistência de arte: Isadora Theodoro Rodrigues

1ª edição - São Paulo

CIP-BRASIL. CATALOGAÇÃO NA PUBLICAÇÃO
SINDICATO NACIONAL DOS EDITORES DE LIVROS, RJ

H993z

Hygino, Cacau
Zezé Motta: um canto de luta e resistência / Cacau Hygino. - 1. ed. - São Paulo: Companhia Editora Nacional, 2018.
256 p.: il; 22 cm.

ISBN 978-85-04-02051-9

1. Motta, Zezé, 1944-. 2. Atrizes - Brasil - Biografia. I. Título.

18-51968

CDD: 927.92028
CDU: 929;7.071.2

Meri Gleice Rodrigues de Souza - Bibliotecária CRB-7/6439
30/07/2018 02/08/2018

Rua Gomes de Carvalho, 1306, 11º andar – Vila Olímpia
São Paulo – SP – 04547-005 – Brasil – Tel.: (11) 2799-7799
www.editoranacional.com.br – marketing.nacional@ibep-nacional.com.br

Dedico este livro a Maria Elazy Motta, responsável pela chegada ao mundo do ser iluminado que é Zezé. A Luiz Oliveira, seu pai de criação e músico, que a ajudou a se tornar uma grande artista. E ao artista negro brasileiro, que, com a sua raça, força e talento, continua desbravando caminhos com dignidade e assim conquistando cada vez mais o lugar que merece.

Sumário

ZEZÉ: DE BEM COM A VIDA	10
A LUZ DO SOL	13
ARTE EM SOL MAIOR	15
ZEZÉ, A ATRIZ QUE INVENTOU UM JEITO DE RIR, DE CAMINHAR	16
COMEMORANDO O ANIVERSÁRIO EM DUAS DATAS DIFERENTES	22
A CHEGADA AO RIO DE JANEIRO	26
OS TIOS DO LEBLON	28
NAMOROS	32
O PAI COMO INFLUÊNCIA ARTÍSTICA	34
INCENTIVO PARA AS ARTES E O PRECONCEITO RACIAL	40
O TESTE PARA O RODA VIVA	46
ZEZÉ CANTORA	54
BETO ROCKFELLER, A PRIMEIRA NOVELA	58
A PEÇA "A MORENINHA" E A GRAVAÇÃO DA PRIMEIRA MÚSICA	62
"ARENA CONTA…"	66

BATISMO DE RAÇA, NO HARLEN	68
A NEGAÇÃO DA COR	72
"BOA TARDE, XICA DA SILVA!"	80
AS GRAVAÇÕES DE XICA DA SILVA	86
ZEZÉ INTERNACIONAL	90
O PRIMEIRO LP	92
ZEZÉ SÍMBOLO SEXUAL	98
MOVIMENTO NEGRO	102
CURSO DE CULTURA NEGRA: LÉLIA GONZALES E O CANDOMBLÉ	114
SEGUNDO LP, EM 1979	116
PODER AO ARTISTA NEGRO	126
E ZEZÉ NOS BRAÇOS DA MULTIDÃO	136
XICA DA SILVA, A NOVELA	142
ENCONTRO DE DUAS DIVAS	150
ESTA DÉCADA	160
ÚLTIMOS TRABALHOS	164
NOVELA "OURO VERDE", EM PORTUGAL	168
HOMENAGEADA DA ACADÊMICOS DO SOSSEGO	172
OS CASAMENTOS	176
OS FILHOS DE CORAÇÃO	180

ZEZÉ POR ZEZÉ

50 ANOS DE CARREIRA	185
VELHICE NUMA BOA	185
MUITA GENTE SONHA COM O PARAÍSO, MAS NINGUÉM QUER MORRER	186
MINHA RELIGIÃO É O PALCO	186
SOU FÊMEA INDOMÁVEL	186
O AMOR...	186
OS MEDOS	187

Sexo é bom 187

Música é privilégio 187

Negro x racismo 187

Ser humano 189

Família é uma bênção 189

Política ou o "sonho acabou" 189

Filhos 189

Dia a dia 190

Vacilos... 190

Manias e tocs 191

Curiosidade 191

Depoimentos 192

Agradecimentos 220

Zezé:
de bem com a vida

CONHEÇO ZEZÉ HÁ MAIS DE VINTE. FUI SEU FILHO NO musical "Ó Abre Alas", de Maria Adelaide Amaral, em 1998, dirigido por Charles Moeller e Claudio Botelho. Lembro-me bem do monstro sagrado que era Zezé quando entrava em cena e abria seu vozeirão, deixando arrepiada até a última poltrona do teatro. Lembro-me também da dispersa Zezé, que certa vez me deixou em cena cantando o mesmo refrão com uma orquestra, durante cinco minutos, num teatro abarrotado, porque tinha esquecido de entrar no palco. Isso aconteceu no Teatro Alfa Real, em São Paulo. Apavorado, eu? Nada! Me diverti muito! Zezé entrou no susto, alertada pelo contrarregra. Estava tão nervosa, que falou o texto da sua cena final. Estávamos nos 15 primeiros minutos do espetáculo. Tive um ataque de riso, sem esconder da plateia. Assumi mesmo! Zezé diverte a gente, deixa-nos leve com sua alegria e simplicidade. Essa é Zezé Motta. Nas páginas deste livro, você encontrará inúmeros momentos de sua vida marcados por distrações, que ela mesma faz questão de lembrar. Viajará também em seu percurso profissional e entenderá a luta que enfrentou para chegar ao lugar em que chegou, como nossa maior estrela negra.

Zezé levou porrada, pensou em desistir e sofreu na pele as dificuldades que o negro sofre no Brasil. Mas sua perseverança, aliada ao seu talento e à maneira simples e tranquila como leva a vida, fez com que se tornasse uma das principais artistas do Brasil. E não só isso. Zezé deixa sempre marcada sua presença, com carisma, por onde quer que passe. Deixa também sua marca artística registrada, não importa o tamanho do papel ou do show que participe. É uma artista de ontem, hoje e sempre. Generosa com os amigos e com atores que lutam por espaço. Ela está sempre ali. Zezé leva a vida como um cidadão qualquer, sem frescuras e melindres que muitas vezes vemos no mundo artístico de egos inflados.

Cacau Hygino

A luz do sol

CONHECI ZEZÉ MOTTA NO FULGOR DE SUA JUVENTUDE, cantando e dançando num palco de teatro. Nunca mais ela saiu da minha mente.

Eu preparava o filme "Xica da Silva", e sofria em busca de uma atriz que não conseguia encontrar. Já tinha decidido e dito ao nosso produtor, o querido e saudoso Jarbas Barbosa, que se não encontrasse a Xica, do poema de Cecília Meirelles e do capítulo dedicado a ela no livro do historiador Joaquim Felício dos Santos, escrito no século XIX, era melhor não fazer o filme. Ia ser perda de tempo.

Numa noite, todavia, num palco iluminado, Xica se materializou diante de mim, no corpo e no carisma de Zezé Motta. Eu tinha encontrado a atriz que procurava, sem nem ao menos supor como seria a personagem. Teria que ser uma descoberta epifânica. E foi.

Posso dizer que desde então não nos desgrudamos mais. Depois de seu enorme e merecido sucesso como a "escrava do amor", Zezé ainda fez mais uns cinco filmes comigo, além de trabalhar com dezenas de outros diferentes diretores, em novelas e shows, peças de teatro. Consagrada como atriz, tornou-se também um ícone de sua atividade, participando ativamente da vida pública em defesa de direitos e deveres do nosso povo.

Zezé não é apenas uma estrela, mas uma constelação muito maior do que os *sets* e os palcos que ocupa.

Gozo de sua amizade como se fosse uma irmã com quem, mesmo quando não está à vista, sabemos que podemos contar. Choramos juntos mágoas de nossos amores e de amores alheios, assim como nos dedicamos a celebrar a alegria em nossos corações e na vida de quem amamos.

Zezé ajudou concretamente atores e artistas em sua profissão, dando a mão e o coração a quem precisava. Quantas vezes me ligou em busca de trabalho para companheiros em dificuldades, quantas vezes conseguiu erguer e reerguer a carreira de muita gente com o seu esforço pessoal!

Às vezes, ficamos um bom período sem nos ver, absorvidos por família e compromissos. Mas, quando o telefone toca, o som dele me chega com alegria e humor, sua arma imbatível para melhor viver nesse mundo. Sua sensibilidade e inteligência, sem aparatos e exibicionismos, fazem de cada dia uma jornada mais leve e melhor.

Zezé Motta é uma grande atriz e uma intelectual inspirada, uma amiga nossa e do mundo, porto seguro de quem por ventura precisa dela.

RIO, 2 DE ABRIL, 2016

Arte em sol maior
PARA ZEZÉ MOTTA

Viva a roda
que deu vida
a atriz no palco
e fez girar
mundo afora
a irreverência e a ousadia
de suas víceras teatrais.
Viva o diamante negro
que iluminou o arraial do Tijuco
e enfeitou com a lapidação
de seus encantos
o pescoço da Sétima Arte:
eterna Xica da Silva.
Viva a boca
de sorriso largo
onde a saliva o veludo
de sua voz.
Um canto de sereia
da Senhora Liberdade
que abre sobre nós
Um poema de pele negra
com cinquenta tons
de Zezé.

Carlos Dimuro

Ilustração Adinkra *Sesa Wo Suban* que significa mude ou transforme seu caráter. Símbolo da transformação da vida.

Zezé, a atriz que inventou um jeito de rir, de caminhar

AMO A ZEZÉ. É UMA DAS ATRIZES MAIS COMPLETAS que tive a honra, o prazer e o privilégio de trabalhar. Minha paixão por ela vem de muito tempo, muito antes de trabalharmos juntos. Eu era absolutamente fascinado por sua figura, desde a abertura da série "Ciranda, Cirandinha". Ela cantava no palco do Teatro Tereza Rachel, completamente louca, transfigurada – no bom sentido –, uma música do Fagner. Nunca tinha visto uma pessoa com tanta garra, com aquela ferocidade, uma coisa quase animalesca.

Naquela época, tudo era muito contido. E ela fazia a abertura da série com tipos *undergrounds*. Era visceral. Fiquei apaixonado. Tão apaixonado que comecei a ir atrás dela.

Lembro-me de que, com meu irmão mais velho, comecei a colecionar os seus LPs, canções que se tornariam clássicas de discos como "Muito prazer, eu sou Zezé", "Negritude", "Dengo", "O Nosso Amor".

Cheguei mais tarde a dirigir um show da Zezé chamado "Divina Saudade", em 2000. E minha paixão por ela só aumentou... uma cantora que tem uma voz particular, um jeito de respirar particular. Uma felicidade quando canta, um corpo que se expressa.

Ver Zezé cantar "Rita Baiana" é sentir uma força sem fim. Você vê o cortiço inteiro ali. Zezé tem uma coisa de ser uma atriz desconstruída. Tem um DNA único. Ela empresta toda sua personalidade de atriz quando canta. Ela não é só apenas mais uma voz da MPB. Isso me fascinou. Talvez, graças a ela, virei diretor de musical. Atrizes de musical sempre me fascinaram... Zezé, Marília Pêra, Bibi Ferreira... E ainda tem o cinema. Não dá para desvincular Zezé do cinema nacional. Zezé de "Xica da Silva" é inesquecível! É um trabalho hipnótico. Zezé e Xica da Silva são uma coisa só.

Ela inventou um jeito de rir, de caminhar, de descontruir o personagem. Você não consegue tirar os olhos dela. Cacá Diegues foi de uma sensibilidade imensa ao chamá-la. Além de toda a beleza física da Zezé, uma deusa, há uma beleza estranha naquele filme. Ela era musculosa, muito magra, quase não tinha seios. Parecia uma serpente que envolvia a todos os outros personagens.

Depois, acompanhei tudo o que fez no cinema: "Tudo bem", "O Quilombo", "Pra Viver um Grande Amor", "Águia na Cabeça", "Jubiabá", "Os Anjos da Noite"... A cada momento, ela veste uma diferente máscara. Vai da empregada doméstica à mulher chique, da comédia ao drama.

Zezé é grandiosa, iluminada. Há atrizes que só podem fazer um determinado tipo de personagem. Zezé, não. Sempre inventa algo novo para seus personagens, ao mesmo tempo não perde a sua personalidade, as suas características e a sua essência.

Quando fiz "Abre Alas", em 1998, com texto da Maria Adelaide Amaral, o produtor cultural Marcus Montenegro me sugeriu Zezé como parte do elenco. Fiquei emocionado. Ia trabalhar com alguém de quem era fã declarado e apaixonado.

Tivemos um primeiro encontro simpático. Você vai mistificando Xica da Silva na sua cabeça e, quando encontra com Zezé, percebe que ela é doce, suave.

Além de tudo, Zezé lida com assuntos difíceis, como o racismo no Brasil, sem perder a singeleza.

Voltando ao meu espetáculo... Tínhamos uma música que a Selma Reis fazia e que, quando passou a ser interpretada por Zezé, tivemos uma canção completamente diferente e criativa. Zezé emprestava uma sonoridade belíssima à composição.

Dirigir Zezé, naquele momento, deu-me vontade de escrever um papel especial para ela. Isso aconteceu na peça "Sete", projeto que eu desenvolvia a sete chaves com Claudio Botelho e Edi Motta. Havia uma vilã e queria muito que ela pegasse o papel. Zezé, naquele momento, tinha personagens doces, generosos, como ela é na vida real.

Quando foi fazer Carmem, a personagem má, passou a se questionar se ia conseguir fazer uma vilã. Havia ali a genialidade de uma grande atriz, que transforma o vilão numa outra coisa. As pessoas ficavam encantadas com a figura noturna, de mechas vermelhas, cantando à noite. Ela cantava lindamente bem as músicas que Edi havia composto. Uma das canções dá o *start* a toda a tragédia, em "Sete". Carmen traz "o marido" de volta em sete dias. Foi um prazer ver a Zezé tão plena. Lembro-me de que até encontrá-la nesse trabalho, ela ainda era para mim o mito Xica da Silva. Depois, passou a ser Carmen dos Baralhos.

Na televisão, depois, fizemos juntos a novela "Xica da Silva", em que ela fazia Maria, mãe da Xica, interpretada por Taís Araújo. Ela trabalhava na casa do meu personagem Santiago Cabral, filho dos primeiros donos da Xica e da mãe dela. Toda sua experiência... a sua consciência, uma beleza de se ver. Ela me ajudou muito. Trazia uma ancestralidade no olhar, um jeito de observar meio cabisbaixo, meio assustado, sem nunca ser subserviente. Era uma rainha num período desastroso da nossa história.

Os personagens do meu núcleo eram horríveis. Escravizavam, maltratavam, chicoteavam. Zezé fazia questão de tornar

Zezé e Alessandra Maestrini em "7 – O musical", com direção de Charles Möeller e Cláudio Botelho, 2007.

aquilo uma coisa real, expondo a ferida aberta no coração do Brasil. Sua atuação mostrava que aquele era um assunto a se discutir, a se tratar com seriedade.

Depois, fizemos juntos a minissérie "Chiquinha Gonzaga", do Jayme Monjardim. Dirigi alguns números, e meu amor por ela passou a transbordar. Nossa relação se solidifica cada vez mais. E ainda há pessoas muito próximas que a gente amava, e que partiram, como Marília Pêra. Estávamos sempre falando da Zezé, rindo das suas histórias malucas, como cair num fosso da orquestra durante um espetáculo, da vez em que ela fez um cafezinho e se esqueceu de entrar em cena...

Zezé tem a cabeça meio torta, meio às avessas. Mas no final, dá tudo certo. Para encerrar, lembro da Rita Lee, que escreveu uma letra para Zezé, "Muito Prazer, eu sou Zezé", que define muito a atriz... "Muito prazer, eu sou Zezé, mas você pode me chamar do que quiser."

Zezé tem uma coisa maluquete que percebi desde a primeira vez que a vi no Teatro Tereza Rachel... ela cantando Fagner, louca, louca, louca.

Zezé é um navio à deriva. Está sempre em constante movimento, em desequilíbrio. Está sempre em transição, em transformação, transmutação. Zezé tem mil máscaras, e não tem qualquer máscara. Isso é maravilhoso, encantador.

Charles Moeller – Diretor e Produtor

Comemorando o aniversário em duas datas diferentes

ZEZÉ NASCEU EM 27 DE JUNHO DE 1944, NUMA CIDADEZI-nha chamada Usina Barcelos, perto de São João da Barra, conheci-da como terra do conhaque e da cana de açúcar, em Campo dos Goytacazes, no estado do Rio de Janeiro. Até aí, tudo bem, só que seus pais só a registraram no cartório em 5 de setembro. Quando se registrava com atraso, pagava-se multa. Embora a multa fos-se barata, pesava no bolso dos pais, que, à época, lutavam para a sobrevivência. Mas para tudo há uma solução e eles encontraram uma. Ao registrá-la, disseram que a menina tinha nascido dias antes. A partir de então, Zezé passou a comemorar o aniversário em duas datas diferentes, 27 de junho e 5 de setembro.

Seu pai biológico chamava-se José de Oliveira e o pai de cria-ção, que era músico, Luiz Oliveira. Coincidência do sobrenome? Não. Os dois eram irmãos. Zezé foi adotada ainda na barriga da mãe, a costureira Maria Elazy Motta, e foi batizada como Maria José Motta. Cadê o sobrenome Oliveira? Zezé não sabe responder.

Ela não tem muitas recordações do lugar em que nasceu. Saiu de lá novinha, aos três anos de idade. A única coisa que se recorda do lugar vem da adolescência, quando passava férias na casa de tias e do seu avô.

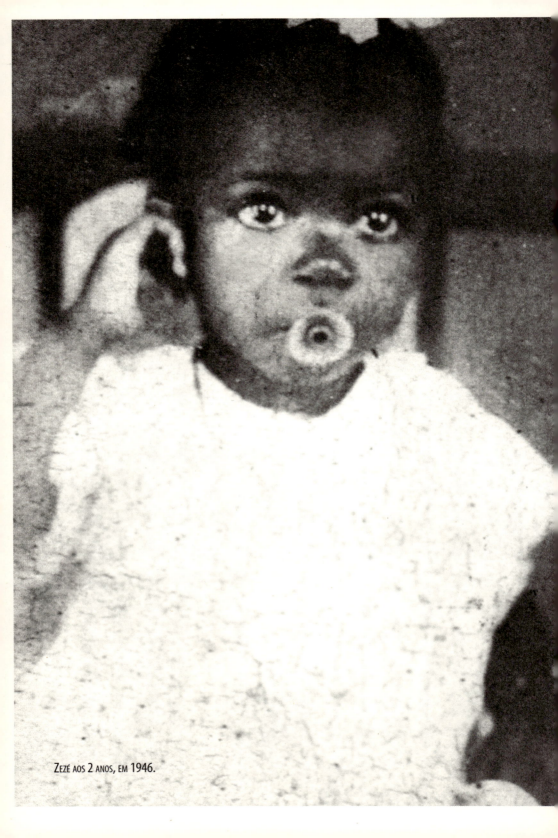

Zezé aos 2 anos, em 1946.

As brincadeiras nos canaviais e os namoros no portão estão frescos em sua memória. Por falar em namoro, o cerco era duro. Ela não podia se ausentar do portão com o namoradinho. Era a maior patrulha. Outra coisa que se recorda é do fogão à lenha, das bananas-da-terra e das batatas-doces assando o dia todo na brasa. Na hora do café, havia um bule de café forte para os adultos e um fraco paras crianças.

Depois, já estrela, Zezé foi convidada para cantar na cidade de Grussaí, distrito de São João da Barra. Foi recebida com pompa, com uma banda e meninas de um coral, além de um buquê de flores. Zezé ficou emocionada. No palco, o prefeito lhe disse: "Antes de começar o show, você deve pedir desculpas aos seus conterrâneos". Zezé ficou assustada e pensou: "Meu Deus, acabei de chegar! O que será que fiz de errado?" O prefeito continuou: "Quando você surgiu no cenário artístico saiu nos jornais como uma estrela carioca. Mas você corrigiu e disse: 'não, sou de Campos'. Nós ficamos contentes! Só que descobrimos que nasceu do outro lado da linha do trem, portanto é são-juanense".

Até hoje Zezé não se acostumou com a ideia, mas de fato o prefeito estava certo. O outro lado da linha do trem pertencia ao município de São João da Barra, portanto não bastasse duas datas de aniversário, Zezé também adotou duas naturalidades: são-juanense e campista.

A chegada
ao Rio de Janeiro

ZEZÉ CHEGOU COM SUA FAMÍLIA AO RIO DE JANEIRO em 1946, aos três anos de idade. Os pais foram para lá tentar uma vida melhor. O pai achava que numa cidade pequena não teria como crescer como músico; a mãe não teria como ampliar os horizontes na costura.

Assim que chegaram no Rio foram morar no morro do Cantagalo, em Ipanema. Como a música trazia incerteza financeira, o pai foi trabalhar como motorista de ônibus. Ele dirigia na linha Gávea-Leme e depois foi motorista escolar do Colégio Sacré-Couer de Marie, que fica na Rua Tonelero, em Copacabana.

O patriarca tinha sociedade num ônibus escolar e se virava de todas as maneiras para dar vida digna e confortável à família.

A mãe resolveu investir o tempo no curso de costura Singer, o mais completo na época. Em pouco tempo, Maria Elazy completava o curso e se formava modista. Assim eram chamadas as estilistas e costureiras, na época. Depois de formada, montou um ateliê que durou trinta anos. Maria Elazy sonhava em ser cantora, mas seu marido não a deixou cantar por ciúmes. Mas a vida inteira costurou cantando, junto das cantoras do rádio.

Os tios do Leblon

ROMILTON, IRMÃO DE ZEZÉ POR PARTE DE MÃE, NÃO foi com a família para o Rio de Janeiro. Ficou algum tempo em Campos, na casa da avó Mariana, até as coisas se organizarem. Os pais passavam o dia inteiro fora, trabalhando. A garotinha não podia ficar sozinha e o casal pensou em contratar uma acompanhante para ela. No entanto, desistiram ao saber que uma menina tinha sido violentada nas redondezas.

O jeito foi deixar Zezé passar a semana na casa de tios que moravam perto, Sebastião e Luzia. Ele era irmão de sua mãe e trabalhava como porteiro num edifício na Rua José Linhares, no Leblon. Como era querido pelos moradores, o condomínio lhe cedeu uma moradia grande no prédio. Assim podia comportar a numerosa família, e ainda a sobrinha.

Zezé morou com Sebastião e Luzia até os seis anos. Nesse mesmo prédio morava Marieta Severo, que tinha na época cinco anos e logo se tornou parceira de brincadeiras da Zezé. Brincadeiras que hoje em dia já estão ficando um pouco para trás... pique-esconde, pique-bandeira, cabra-cega, pular corda, amarelinha. "Era um tempo em que crianças tinham brincadeiras de criança. Com a tecnologia, isso tudo está ficando para trás. Uma pena.", diz Zezé.

A garota precisou começar a estudar, e acabou sendo matriculada num colégio interno chamado Asilo Espírita João Evangelista, que fica até hoje na Rua Visconde Silva, 92, em Botafogo.

Zezé ficou mal ao se mudar para a casa dos tios. Achou até que fosse filha adotiva. Com o tempo, entendeu a situação. Como acontece com muitas crianças, Zezé demorou a se adaptar ao colégio. Para chamar atenção, fez várias loucuras. Certa vez, simulou uma greve de fome. Queria que a mãe a tirasse da escola. "Uma loucurinha de criança", diz Zezé.

Era expressamente proibida a entrada de homens no Asilo Espírita. Abria-se uma exceção para parentes, mas, mesmo assim, quando os homens das famílias das alunas apareciam, as meninas eram obrigadas a tomar banho e vestir camisolas imensas. Mostrar o corpo, nem pensar.

Zezé aprendeu bastante na instituição e agradece até hoje por seus pais a terem colocado lá. Foi lá que se tornou uma mulher prendada, como gosta de dizer, foi ali que a ensinaram a bordar e a fazer crochê.

A partir dos dez anos, as alunas aprendiam também a passar roupa e a cozinhar... Coisas necessárias para sobrevivência, como diziam. Só que a grande lição não foi o bordado, o crochê ou o feijão com arroz. A instituição ensinava as internas a se virarem na vida.

O asilo seguia a linha kardecista do espiritismo. A religião fazia parte dos estudos. Apesar de as alunas não participarem das sessões espíritas, pois eram jovens demais, sabiam de tudo o que acontecia ali, dos passes, das entidades que os médiuns recebiam, incluindo a mãe Áurea, fundadora do colégio.

Um pouco mais mocinha, quando já tinha consciência de si, Zezé e as suas colegas passaram a ser liberadas para assistir palestras nas sessões espíritas. Zezé tinha 11 anos e morria de medo de receber um santo. Era uma ideia fixa. Ela não parava de pensar: "Ai, meu Deus, e se um dia eu receber um santo, como vai ser?" Um belo dia, sozinha no banheiro, começou a ter sensações esquisitas, uns arrepios. Achou que estava recebendo um espírito. Hoje, quando se lembra do fato, morre de rir e percebe que o fato tinha sido apenas fantasia de uma garota medrosa e sonhadora.

O asilo tinha regras claras. As alunas só podiam ficar ali até os 16 anos de idade. Zezé acabou saindo antes, aos 12, quando os pais melhoraram de vida e passaram a morar num apartamento na rua Humberto de Campos, 827, esquina com a Bartolomeu Mitre.

A construção era popular, tinha o apelido de Maracananzinho, por ser enorme, com 45 apartamentos por andar, pegava a quadra inteira da rua. Zezé e os pais moravam no 4º andar, apartamento 431. A residência era conjugada e não havia privacidade alguma. Um armário dividia os aposentos dos pais e o de Zezé. "Tenho certeza de que tinham dificuldade em namorar", diverte-se a atriz.

Em casa, a religião era algo democrático. A mãe seguia a Umbanda e o pai, o Kardecismo. Zezé teve formação numa escola kardecista, portanto considerava-se espírita. Uma questão a incomodava. Todas suas amigas, coleguinhas do prédio e da rua já tinham feito Primeira Comunhão. Baseada nisso, resolveu se matricular num curso de catecismo, na igreja católica, para também poder fazer sua Primeira Comunhão. Mas passou a achar o processo confuso. Não gostou da ideia de se ir para o céu ou para o inferno. Assim, desistiu da comunhão que tanto desejava.

A mãe resolveu largar a Umbanda e se tornou Testemunha de Jeová. Zezé sempre a acompanhava no Salão do Reino, igreja que ficava entre Ipanema e Copacabana. A jovem começou a ficar encantada, já que a frequência nos cultos lhe proporcionava vida social intensa. Aos 16 anos, acabou sendo batizada ali.

Namoros

ZEZÉ COMEÇOU A NAMORAR MENINOS QUE NÃO ERAM Testemunhas de Jeová e, no meio disso tudo, apaixonou-se por um rapaz, o Francisco. Muitas pessoas começaram a lhe dar conselhos: "Você tem que ter um namorado da igreja, não vai dar certo se casar com alguém que não seja da mesma religião". O policiamento acabou desanimando Zezé a frequentar os cultos.

Nesse momento, ela começou a se envolver com o teatro. Foi fazer aula no mítico Tablado. A verve artística aparecera cedo. Ainda no colégio interno, Zezé declamava poemas. Uma vez fez uma música, sua primeira composição, onde o importante era rimar. Toda a letra fora escrita intuitivamente. A música não tinha título, mas era mais ou menos assim, conforme as lembranças da atriz:

"O que festejam com tanto amor é o nascimento de Nosso Senhor.

E o que cantam com tanta harmonia são as canções de nossa alegria.

Que amor, que flor e quanto fulgor tem o Natal de Nosso Senhor!

Que alegria, que dia feliz, isso em toda parte se diz!"

Certa vez, participou de um show de Natal numa escola de São Paulo, e o diretor, Thiago Marques, a fez cantar a canção.

O pai como influência artística

ZEZÉ TINHA O INSTINTO DE SE EXIBIR. E ISSO TINHA O dedo do seu pai. Ele que a incentivou a conhecer música. "Ouço música desde que estava na barriga da minha mãe", ela diz. Religiosamente, no mínimo duas horas por dia, o pai tocava seu violão. Zezé, no começo, achava aquilo uma chatice, a repetição toda lhe cansava. Só mais tarde percebeu que para ser um bom músico a repetição é algo essencial.

Zezé tentou tocar alguns instrumentos, mas não tinha a disciplina do pai e a coisa não foi para a frente. A casa parecia um hospício, como ela diz. Num canto, a mãe trabalhava na máquina de costura Singer de pedal, com rádio ligado; em outro, o pai tocava violão. Zezé ensaiava teatro num outro lugar da casa.

O pai chegou a dar aulas particulares de violão em casa. Era música o dia inteiro, o tempo todo. Mas Zezé acabou aprendendo a costurar e começou a trabalhar com a mãe. À beira do rádio, ouviam Ângela Maria, Nora Ney, Marlene, Emilinha, Cauby, Ellen de Lima, Jorge Goulart.

Quando o patriarca chegava em casa, Zezé corria ao seu encontro e cantava uma nova música que tinha aprendido. Uma vez,

Luiz de Oliveira e Maria Elazy, pais de Zezé, na praça Cinelândia, Rio de Janeiro, em 1951.

Zezé falou: "Pai, você não sabe que música linda a Ellen de Lima acabou de gravar!" e soltou a voz:

"Não, eu não tenho culpa de não ter um sorriso para dar, tudo que eu tenho é muita saudade, saudade particular. Sou como tudo que não é nada, sou o céu a desbotar, sou o mundo vazio, triste e deserto, sou de não ser de amar..."

"Ele me perguntou, ao final: 'garota, quantas vezes você ouviu essa música?'. Respondi que três vezes. Ele então disse que eu não apenas tinha voz boa, como tinha memória musical. E completou: 'você é uma cantora, minha filha!'"

Maria Elazy acreditava que trabalhar era mais importante do que estudar. Na visão de Maria Elazy, Zezé cursar o primário já era suficiente.

Num certo momento, o atelier de costura passou a funcionar numa favela. E as damas da sociedade deixaram de visitar a costureira. Não era por causa de violência, pois as favelas da época não ofereciam perigo algum. As clientes só não iam pelo desconforto de ter que subir ladeiras. Maria Elazy é que descia a favela, ia até o encontro das clientes.

Zezé sabia que a mãe precisava da sua ajuda, não só para costurar. Ela ajudava nos serviços gerais da casa. Só não cozinhava, pois Maria Elazy acreditava que essa tarefa era dela. Nesse período, Zezé parou os estudos.

Houve um momento em que o atelier de costura estava com o movimento fraco. Assim, Zezé resolveu trabalhar fora pra dar um reforço no orçamento da família. Foi bem nesse mesmo período que os pais se separaram. Com o atelier quase sem clientes e a separação, a mãe ficou com a saúde abalada. Zezé não teve dúvidas. Tinha que trabalhar fora.

O primeiro emprego foi no famoso laboratório Moura Brasil, na Gávea, onde trabalhou dos 15 aos 18 anos, momento em que voltou para o curso ginasial. No laboratório, ficava no departamento de embalagens. Era acondicionadora de produtos. E nas festas da empresa, ela empunhava o microfone e cantava.

Zezé finalizou o curso ginasial na Cruzada São Sebastião, na divisa de Ipanema com o Leblon. Trabalhava durante o dia e estudava à noite. Já era independente, embora os pais acreditassem que ainda era uma menina ingênua, pois passara parte da infância num colégio interno. Nesse período, seu irmão Romilton arrumou uma namorada, Vera Crispim, que estudava também à noite, no Colégio Santos Anjos. Zezé se tornou amiga de Vera e quis se mudar para a mesma escola da amiga. Para estudar lá, precisava morar na região da Cruzada São Sebastião. Zezé deu um jeitinho brasileiro... Fez a matrícula no Santos Anjos, dando o endereço de Vera. Mas, em menos de 15 dias, todos já sabiam que ela não morava no local. Mas aí ela já tinha conquistado a todos com sua personalidade expansiva.

Para quem não conhece a história, a Cruzada é um conjunto habitacional que fica entre Ipanema e Leblon, em frente ao Jardim de Alá. Foi fundada por Dom Helder Câmara, em 1955, e tinha como plano acabar com as 150 favelas que então existiam na cidade.

Os primeiros moradores na Cruzada vieram de uma favela urbana no Leblon, chamada Praia do Pinto, hoje em dia o famoso Condomínio Selva de Pedra. Volta e meia aconteciam incêndios nessa favela. Aí se descobriu que eram provocados por criminosos. Reza a lenda que até policiais participavam do ato criminoso, pois a área nobre já era cobiçada pelo mercado imobiliário, tendo em vista a burguesia do Leblon. Bem, o Leblon já era o Leblon. O prédio mais simples que existia lá, na época, era o que Zezé e sua família moravam. Hoje, porém, o lugar vale uma fortuna.

Os incêndios aconteciam sempre, mas os jornais nunca noticiavam a verdade. Sempre se falava que um bujão de gás havia explodido, ou então que fora uma vela esquecida acesa. Nunca havia culpados, mas muita gente sabia da verdade e ficava calada.

Sempre que o lugar pegava fogo, mandavam os moradores para Cordovil, na Penha, entre outros bairros distantes. E isso desestruturava a vida de todo mundo.

Mas havia resistência e, nos finais de semana, famílias faziam mutirão para reconstruir barracos incendiados. Tudo em vão! Quando menos se esperava, outro incêndio destruía tudo de novo.

Sempre preocupado com o povo, Dom Helder, na época secretário-geral da Conferência Nacional dos Bispos do Brasil (CNBB), criou o plano piloto para transformar o local, tentando convencer o presidente da república, Café Filho, a firmar convênio para construir a Cruzada, em prol dos moradores desabrigados pelo incêndio.

Dizem até que conseguiu verba para fundar a Cruzada São Sebastião no Vaticano. Dom Helder foi muito importante para Zezé. Foi por causa dele que ela passou a se interessar por política, começando a entender o processo da injustiça social. Isso lhe deu uma visão ampla da vida e da sociedade.

Incentivo para as artes e o preconceito racial

ZEZÉ TEVE UM TIME DE PROFESSORES QUE A ESTIMU-
laria a seguir a carreira artística. Ela se lembra do professor Gil;
de Jader de Brito, filósofo, seu amigo até hoje; da professora Sônia;
de Leila; do José, enfim, de muita gente. Os alunos tinham pro-
gramação cultural intensa nos fins de semana. Visitavam museus,
exposições, iam à ópera, balés e tudo mais que fosse ligado à arte.
Certa vez, foram ao Largo do Boticário assistir à peça "Memórias
de um Sargento de Milícias", que mexeu com ela. Foram também
ao museu Raimundo Castro Maia, no Alto da Boa Vista, numa
mostra de gravuras do Debret, e iam sempre aos concertos da juventude, no Theatro Municipal do Rio.

No ginásio, chegou a fazer aulas de interpretação. No Grêmio
Recreativo da escola, fez peças natalinas. Os professores produ-
ziam os espetáculos e o grupo se apresentava à comunidade de São
Sebastião. Fizeram textos engajados, como "Terror e Miséria do
Terceiro Reich", de Brecht, e "Diário de Anne Frank". Nesta, Zezé
interpretou a mãe da garota morta em campo de concentração.

A direção da escola levava cineastas e diretores de teatro para
bate-papos com os alunos, isso deixava os olhos de Zezé brilhando.

Zezé como crooner na Boate Balacobaco, em São Paulo, 1969.

Certa vez, levaram o prestigiado ator e cineasta Zózimo Bulbul, falecido em 2013, aos 75 anos.

Numa das montagens estudantis, Zezé sentiu na pele, pela primeira vez, a questão do preconceito racial. Foi em 1962, quando tinha 18 anos, num Natal na Cruzada, e aconteceu com o auditório lotado. Parte da peça foi encenada do lado de fora da escola e os vizinhos se indignaram ao ver Zezé interpretar a Virgem Maria. Seu amigo Zequeu, também negro, interpretava José. A vizinhança vaiou, jogou água. Os atores tiveram que correr para dentro da escola, para se esconderem. Foi a primeira vez que a questão racial se apresentava à menina cheia de sonhos. "Mas, como tudo na vida passa, o evento ficou na memória como mais uma experiência", diz a artista.

Assim que terminou o ginásio, em 1966, o professor Jader conseguiu três bolsas no Tablado para seus alunos. Mesmo sem pretensão de se tornar atriz, Zezé resolveu aceitar o convite. Uma das bolsas foi para ela, outra para o seu primo, Mário, e a terceira para um colega chamado Edson. Mais tarde, Mário chegou a fazer o filme "Compasso de Espera", com o diretor teatral Antunes Filho. Mas virou ator de um filme só. Zezé resistiu heroicamente. Fez o curso completo e teve o privilégio de ter como professora de interpretação e improvisação Maria Clara Machado, além da atriz Lupi Gigliotti. Um dos seus colegas de turma, que acabou não seguindo a carreira de ator, foi o músico Zé Rodrix.

Quando recebeu a bolsa, disse a seu pai: "Ganhei uma bolsa para estudar teatro. Descobri que é isso que quero. Quero ser atriz!"

Como ele era músico, tinha vida financeira errática e ficou preocupado com a escolha da filha. Ele tinha formação clássica e participava de grupo de chorinho. Não dava para competir com o grande sucesso na época, o rock, que começava a explodir no Rio.

"Só deixo você seguir a carreira de atriz, se tiver um diploma", ele disse. Assim, Zezé resolveu fazer uma pesquisa e descobriu que o curso de secretariado era o mais rápido. Podia se formar em três anos. Matriculou-se num que ficava no Largo do Machado. O único problema era que Zezé nunca passava em taquigrafia, sempre tirava nota baixa. Aí descobriu que podia se transferir para o segundo ano de contabilidade. Formou-se no curso técnico, sem largar seu emprego no laboratório nem deixar o teatro. "Nunca fui buscar o diploma. No dia da formatura, tinha ensaio do Roda Viva."

Para terminar o curso no Tablado, devia fazer um musical, o "Miss, Apesar de Tudo, Brasil!". Ela fazia papel de destaque, cantava, dançava. A história tratava de uma menina que se inscreve num concurso de miss escondida da família. O pai burguês descobre e a proíbe de se inscrever. "Havia uma coisa engraçada, pois a peça tinha uma marca de biscoito como patrocinadora. Quando entrava no palco, os atores falavam sobre biscoito de chocolate, remetendo à cor da minha pele."

Zezé então cantava:

"I am a Rita of America, how do you do, merci beaucoup, por onde passo tem sururu, sou negra internacional, sem complexo racial!"

O espetáculo foi o passaporte para o teatro profissional. A formatura do Tablado foi num sábado, em meados de 1968, e, na segunda-feira, ela já estava fazendo teste para a peça "Roda Viva". E, por falar em Tablado, Zezé tem ótimas lembranças da escola. Fundado em outubro de 1951, pela dramaturga e professora Maria Clara Machado, o espaço era cedido pelo Patronato Operário da Gávea. Era uma simples sala de apresentação e diversão daqueles que moravam nos arredores. Havia um palco rudimentar, mas isso não importava. As pessoas que lá se encontravam era por amor ao teatro.

No Tablado, Zezé teve aulas de improvisação e foi na prática que aprendeu seu ofício. Quando ensaiava algum espetáculo de final de ano, tinha aulas de expressão corporal, voz e interpretação, tudo como se fosse uma montagem profissional.

A grande base teatral que Zezé tem vem das aulas que teve na escola. O Tablado é um grande celeiro de atores. Lançou muitas estrelas que ainda estão no mercado, como Marieta Severo, Louise Cardoso, Laurence, Wolf Maia, Malu Mader, Claudia Abreu, Cininha de Paula, Heloisa Perissé, Miguel Falabella, Drica Moraes, entre outros.

O espaço hoje, patrocinado e completamente reformado, encena peças profissionais e amadoras com seus alunos. "O Tablado foi de suma importância na minha carreira. Era um teatro amador, mas feito tudo com muita verdade e amor. Tanto que as pessoas que passam por lá ficam anos e anos, sem nunca querer sair. E o mais curioso é que depois voltam, de alguma forma. Nunca perdem os laços. O Tablado foi determinante para que eu tivesse certeza de que o palco era meu lugar."

O teste para o Roda Viva

O ATOR FLAVIO SANTIAGO ESTAVA NA PLATEIA DE "Miss Brasil..." e se encantou com o talento de Zezé. Ator querido pelo público e por colegas, ele foi ao camarim parabenizá-la por sua atuação. Disse: "Puxa, você canta, dança e representa!" E logo em seguida perguntou: "Você pretende seguir carreira?" Zezé respondeu: "Deus é quem sabe!"

Então ele apareceu com a ideia: "Vai ter teste para uma peça chamada 'Roda Viva', de Chico Buarque de Holanda, direção de José Celso Martinez Corrêa, produção do Teatro Oficina, que estreia no Teatro Princesa Isabel, em Copacabana. Não quer fazer?"

Havia dois grupos de vanguarda na época, o Arena, do Augusto Boal, e o Teatro Oficina, de José Celso Martinez Correa. As montagens desses grupos desejavam não apenas criar espetáculos, mas tirar o público da passividade política. Tudo era pensado para chocar, cutucar as pessoas sobre o momento nacional. Uma baita crítica à ditadura militar.

Zezé resolveu fazer o teste para "Roda Viva" e passou. Era um teste de canto e dança e uma cena improvisada. Ela estava com 20 anos e tinha a pureza de uma menina; era virgem, apesar de já ter um noivo. A mãe, testemunha de Jeová, tinha aquela coisa de que era pecado ter relações sexuais antes do casamento. E como na época Zezé também estava experimentando a religião, acreditava na tese. Só que era engraçado e contraditório esse pensamento. O casal se permitia intimidades, desde que a virgindade fosse mantida intacta.

Pois bem... Quando começou a ensaiar a peça, encontrou Paulo César Pereio interpretando um bêbado. No roteiro de Chico Buarque não existia esse personagem, que foi criado por Zé Celso. Pereio improvisava a fala. Ficava sentado a peça inteira, bebendo. Quando dava a louca, soltava um texto para lá de pesado. Zezé ficava chocada e pensava: "Isso não vai dar para mim!"

Houve um dia em que Pereio falou: "Eu brindo o cu da mãe!" Zezé, morta de vergonha, tremeu inteira e logo passou por sua cabeça: "Minha família vendo isso, como é que vai ser?" Ela teve dificuldades para encarar toda a modernidade da peça.

Havia uma cena que representava o desejo de um fã por seu ídolo. Zé Celso marcou o trecho para que atores aparecessem do fundo do palco mostrando a língua à plateia, para depois se insinuarem ao público.

Preocupada com seus pais e seu noivo, Zezé pediu a Zé Celso para lhe tirar da cena no dia em que eles fossem assistir o espetáculo. Extremamente irritado, ele negou o pedido e pediu para ela decidir entre o teatro e o casamento. No outro dia, Zezé chegou atrasada nos ensaios, pois tinha ido entregar um vestido para sua mãe na casa de uma cliente. Ao chegar no teatro, Zezé explicou a Zé Celso o motivo do atraso, mas ele novamente se irritou e disse: "Isso aqui é sagrado! A partir de agora, se isso aqui não for a coisa mais importante na sua vida, você não tem vocação e deve escolher outra profissão".

Não bastasse isso, o noivo, um rapaz chamado Ari, deu-lhe um xeque-mate. Ari era um menino de origem humilde criado por uma família burguesa. Um negro bonito da Barra da Tijuca. Ele teve problemas quando Zezé começou ensaiar "Roda Viva".

Na véspera da estreia, disse a Zezé que estava sendo pressionado pela família, que não queria que ele se casasse com uma atriz. Houve uma discussão sem fim e Zezé escolheu o teatro. Segundo ela, a decisão mais sábia da sua vida.

A peça representava uma crítica aos costumes. Era sobre a vida de um ídolo, como se construía uma estrela e as coisas pelas quais tal personagem passava até ganhar triunfo. Havia uma cena em que os atores vestiam uma malha cor da pele, bem grudada ao corpo. Cada um representava um produto, que era desenhado na malha. Zezé representava o inseticida Detefon. O elenco vinha do fundo do palco e ia até a plateia falando: "Compre, compre, compre, compre!" As vozes dos atores iam aumentando e quando chegavam próximos à primeira fila, pegavam nos ombros de algumas pessoas, sacudiam e gritavam mais alto ainda: "Compre, compre, compre, compre!" Em outra cena, policiais perseguiam estudantes. Numa rampa, os atores desciam até a plateia gritando "abaixo a ditadura!". Os policiais representados por atores batiam no elenco com cassetetes de plástico. A direção de Zé Celso era ousada, polêmica. O próprio Chico Buarque, autor da peça, não concordava com o diretor. Mas, mesmo assim, a peça foi de um estrondoso sucesso. No elenco estavam nomes como Pedro Paulo Rangel, André Valli, Antônio Pedro, Fernando Reski, Angela Vasconcellos e a protagonista Marieta Severo, com quem na infância Zezé brincava logo que se mudou para a casa dos tios, no Leblon. Todos estavam em início de carreira.

A peça era longuíssima, os atores ficavam horas na coxia. Zezé sabia fazer colares artesanais e aproveitava o tempo livre para fazer bijuterias.

O "Roda Viva" chegou a ser proibido no Rio de Janeiro e isso resultou numa grande confusão. O elenco foi para as ruas protestar, com o apoio de artistas e intelectuais. Com todo o movimento, conseguiu-se que a peça fosse liberada novamente.

Após temporada no Rio, o espetáculo foi para São Paulo, onde já estava sendo esperado, já que a montagem no Rio deu burburinho. O elenco apresentou-se no Teatro Ruth Escobar e logo em seguida houve espancamento. Esse episódio ficou marcado na história do Brasil e do teatro nacional.

Assim que o espetáculo acabou, o ambiente estava confuso, havia correria para lá e para cá. Zezé se encontrava nos bastidores, no maior bate-papo a respeito do espetáculo. De repente, ela avistou vários homens enormes com cassetetes de verdade nas mãos, invadindo os bastidores. Apavorada, correu e entrou na primeira porta que encontrou pela frente. Só depois se deu conta que ali era o camarim de Rodrigo Santiago, protagonista na montagem de São Paulo. Ele estava conversando com um casal de amigos e assustou-se ao perceber a entrada repentina de Zezé. Os fortões bateram à porta, enquanto os atores a escoravam, pois ela não tinha fechadura. Os invasores pegaram um extintor de incêndio e jogaram a fumaça pela brecha da porta, deixando tontos os atores, que perderam a força. Assim os homens conseguiram invadir o camarim. Zezé apanhou, levou vários golpes de cassetete. Ficou cheia de hematomas pelo corpo. Sobre o episódio, ela diz: "Achei que fosse morrer vítima de espancamento".

No meio da confusão, restou uma história engraçada. Na época da peça, Zezé tinha cabelos curtinhos e usava uma peruca Chanel. No meio da confusão, a peruca caiu e a mãe não percebeu. Ela saiu do teatro e foi até um orelhão telefonar para a vizinha da sua mãe, já que a família não tinha telefone em casa. Queria contar o que tinha acontecido, com receio de que ela visse o fato no noticiário da TV e entrasse em pânico. Marília Pêra, que também estava no elenco, viu-a numa cena de comédia pura, no orelhão, sem a peruca. Zezé e Marília nunca mais esqueceram dessa cena.

Algumas pessoas da equipe foram internadas em estado grave. Os agressores eram oriundos de um grupo de extrema-direita da

Universidade Mackenzie, formavam o famoso Comando de Caça aos Comunistas (CCC).

Baixada a poeira, o grupo continuou em cartaz, protegido por estudantes de outras faculdades, que ficavam nas coxias e na portaria, armados com pedaços de pau, caso o CCC voltasse.

Em seguida, a peça foi a Porto Alegre, para uma única apresentação. Assim que a trupe chegou na cidade, viu vários anúncios de ameaça espalhados com os seguintes dizeres: "Quem é comunista, gosta de LSD, assista 'Roda Viva' hoje". Para quem não sabe, LSD é uma abreviação usada para a dietilamida do ácido lisérgico. Trata-se de uma droga alucinógena sintética de uso oral comumente utilizada por jovens.

No dia seguinte, ao chegar no Teatro Leopoldina, o grupo encontrou o lugar lacrado. Voltaram para o hotel, mas o dono do local pediu que a trupe saísse, pois um grupo de direita ameaçava jogar uma bomba ali.

O grupo respeitou o pedido e partiu.

Zezé entrou em pânico. Aquilo estava virando uma perseguição de vida ou morte. No elenco havia um ator gaúcho, o Toninho, e todos foram para a casa dele.

Toninho morava com a mãe e a avó, que não podiam sequer desconfiar de que a trupe estava ali para se esconder. Fingiram que se reuniam para uma festa do elenco. A mãe e a avó de Toninho receberam a trupe com grande prazer: "Nossa, desculpa, a gente não estava preparada para a festa. Vocês aceitam um suquinho?" Ninguém conseguiu ingerir nada, estavam todos apavorados.

No dia seguinte, foram a um bar tomar café, ainda desnorteados, sem saber o que fazer, encontrando cara a cara um grupo de direita que começou a fazer ameaças: "É bom que vocês partam hoje ainda". Zezé nunca tinha passado por situação semelhante e pensou em desistir de tudo aquilo e voltar para o aconchego do seu lar, no Rio de Janeiro. Mas resistiu.

As ameaças no Rio Grande do Sul não pararam por ali. Os bandidos sequestraram a atriz Elisabeth Gasper, que estava no lugar de Marília Pêra, pois ela não pôde ir a Porto Alegre participar do espetáculo. Sequestraram também Zelão, diretor musical, e o ator Paulo César Pereio. Logo após os atores serem soltos, a trupe voltou a São Paulo. E a peça foi proibida em todo território nacional.

A companhia conseguiu armar uma apresentação fora do país, em Cuba, mas com elenco cubano.

Depois de "Roda Viva", Zezé passou a ter mais consciência política. A peça a fez ir mais a fundo nas questões política-sociais do Brasil. Ela sentiu na pele que teria que se inteirar mais sobre a história do país em que vivia. Procurou entender em profundidade as raízes do Brasil.

Zezé soube que Dom Helder, que criara o colégio em que estudou, estava exilado. Ele havia sido proibido de falar e estava sendo perseguido pela ditadura. "Tem alguma coisa errada neste país! Tenho que fazer alguma coisa", a atriz pensou. Desta forma, começou a participar de manifestações e passeatas. Uma delas foi em prol do estudante Edson Luís de Lima Souto, secundarista assassinado por policiais militares durante um confronto no restaurante Calabouço, no Centro do Rio. Com o assassinato, começaram intensas manifestações contra o regime militar, que foi duríssimo mesmo antes do famigerado AI-5. No meio da passeata, de repente um cavalo apareceu na direção de Zezé. Ela desmaiou e um amigo a arrastou. Uma lembrança forte que a fez aprender a lutar por sua nação. Como pessoa pública, sentiu-se no dever de usar a sua imagem para ajudar de alguma forma.

A peça "Roda Viva" teve três protagonistas. A primeira foi Marieta Severo, que não podia ir a São Paulo e acabou sendo substituída por Marilia Pêra. Começava uma grande amizade, ao ponto de Zezé se tornar sua comadre. Marília a convidou para ser madrinha da sua filha mais nova, Nina Morena, de seu casamento com o jornalista Nelson Motta. A relação de ambas tornou-se intensa, e Zezé foi morar com a atriz e também com André Valli, outro grande amigo do teatro.

Zezé passava uma temporada em São Paulo, dividindo moradia com André Valli e com uma atriz chamada Maria Alice, hoje residente do Retiro dos Artistas, no Rio. Como Maria Alice tinha melhor situação financeira, um belo dia resolveu morar sozinha. Zezé e André estavam sem grana e decidiram voltar para o Rio. Antes que partissem, Marília os convidou para morar com ela num pequeno apartamento, em São Paulo. Marília tinha acabado de protagonizar a novela "A Moreninha", e estava começando a aparecer no mercado da teledramaturgia. Em seguida, ela mudou-se para uma casa grande em Pinheiros com os dois amigos.

Em contrapartida, Zezé secretariava Marília, ajudando-a no que fosse preciso. Fazia serviços na rua, ia a bancos, por exemplo. Levava os filhos de Marília ao encontro da mãe, quando ela estava em alguma produção de teatro, cinema ou TV. Marília fazia tudo ao mesmo tempo. Generosa, na medida do possível, sempre encaixava os amigos nas peças que produzia.

Zezé cantora

NA TEMPORADA DE "RODA VIVA", ZEZÉ SAÍA DO TEA-tro e ia para boates cantar. Ninguém a convidava, ela mesmo corria atrás de casas de show e oferecia seus dotes vocais. Cantou primeiro na boate Balacobaco e depois na Telecoteco, ambas no bairro do Bixiga, em São Paulo. Isso durou quase um ano. Zezé abria o show para as estrelas da noite. Certa vez, abriu o show da Clementina de Jesus, no Telecoteco. Sua esperança era que algum produtor a visse e a convidasse a gravar um disco. Zezé um dia convidou o produtor Ezequiel Neves para assistir a um dos seus shows. Ele era um cara engraçado. Quando a viu cantando, soltou a pérola: "Zezé veio para 'fuder' com Aretha Franklin!"

Em outra ocasião, o diretor de teatro Fauzi Arap lhe disse, ao fim de um show: "Da voz eu gostei, mas você está muito presa. Joga esse quadril para a frente, se joga!" Zezé sempre convidava alguém da indústria musical na esperança de que alguma coisa acontecesse. Com as dificuldades, começou a se desiludir da carreira de cantora. Ela conhecia muitas cantoras que já estavam há muitos anos na estrada e continuavam na mesma. Algumas faziam apresentações há mais de vinte anos, sem nunca terem sido descobertas, sem nunca gravarem um disco, sem tocarem nas rádios. Além disso, era extremamente exaustivo cantar na noite, sem ter hora para dormir. Um *crooner* tinha que cantar até o último cliente. Zezé passava a madrugada cantando, dormia na hora de o galo cantar e ainda tinha que fazer teatro à noite.

Os cachês eram muito ruins, e ela precisava trabalhar muito. Mas a carreira de atriz estava começando a se abrir. Ela passou a receber convites para fazer novas peças e comerciais, desistindo assim da carreira de cantora.

Antes de se estabelecer por um tempo na capital paulista, durante a temporada de "Roda Viva", no Rio de Janeiro, Zezé conheceu o ator Antônio Pitanga. Um belo dia começou a namorar com ele. Era 1968, época do bonde. Pitanga a pegava no teatro e a levava para casa de bonde. Ele já era ator estabelecido, fazia filmes do Glauber Rocha e conhecia todo mundo.

Zezé lembra que, certa vez, Pitanga foi a São Paulo fazer a peça "Um Bonde Chamado Desejo", ao lado de Ítala Nandi. Zezé não pôde ir e assim o namoro acabou.

Porém, quando Zezé se apresentou em São Paulo, com o grupo de Zé Celso, o casal se reencontrou e reatou o namoro. Ficaram cerca de um ano juntos e desmancharam novamente, até que virassem bons amigos.

Zezé que apresentou Pitanga para Vera Manhães, que viria a ser a mãe de seus filhos. Foi uma história cinematográfica. Ela fazia "Roda Viva" e Pitanga estava em cartaz com outra peça. Ele era visto em vários lugares, e todos chegavam até Zezé para dizer que haviam visto seu namorado. Só que, coitado, ele quase sempre estava em rodas de amigos. Zezé era muito ciumenta e acabava entrando na pilha dos amigos. Numa dessas, falaram para ela que Pitanga estava com várias pessoas e Darlene Glória estava no mesmo grupo. Darlene era linda, cobiçadíssima, e Zezé se sentiu ameaçada. "Como vou competir com aquela mulher linda?"

No dia seguinte, ele foi buscá-la para jantar e encontrou Zezé emburrada. Começaram uma discussão no camarim, antes de saírem para o jantar. No meio da confusão, apareceu do nada uma menina linda, de 16 anos, que de vez em quando ia ao camarim conversar com Zezé: "Não sei mais o que fazer com essa minha pele cheia de espinhas, o que você faz para sua pele estar sempre bonita, Zezé? E esse seu cabelo, o que você usa?" Sem paciência, naquele dia Zezé respondeu: "Vera, eu uso peruca! Peruca!" Zezé tinha a maior paciência com a garota, que era bailarina, queria ser atriz e morava na rua dos Ingleses, em São Paulo, a mesma em que fica o Teatro Ruth Escobar, onde a peça era apresentada. "Vera, dá para você voltar em outra hora? Estou tendo um papo sério com esse moço, não está vendo?" Ela saiu e continuaram a discussão, enquanto Zezé tirava a maquiagem. De repente, ele ficou calado e ela falou: "Vem cá, estamos discutindo nosso futuro e você não está nem aí!" Ele virou-se para ela e perguntou: "Quem é essa menina?" Zezé respondeu: "Ah, você não está interessado no nosso papo, peraí que vou chamar Vera". Zezé não só a chamou, como falou: "Vera, esse rapaz quer ser apresentado a você!" Isso tudo era pirraça de Zezé. Os olhos de Pitanga e Vera brilharam um para o outro. O ator ficou com Vera por um bom tempo, depois se separaram e aí novamente Zezé e Pitanga reataram. No meio do relacionamento, Zezé percebeu que ele ainda gostava de Vera e pediu para ele se decidir. Ele disse: "Já tomei uma decisão. Ela está grávida". Ele seguiu seu caminho e os dois terminariam para sempre a história de amor. Já a amizade continua até hoje.

Beto Rockfeller, a primeira novela

A PRIMEIRA NOVELA QUE ZEZÉ PARTICIPOU FOI "BETO Rockfeller", na TV Tupi, em 1968. Foi numa roda de artistas que ela conheceu Bráulio Pedroso, o autor. Zezé fez um teste e passou. Pedroso disse que Zezé iria fazer o papel de uma empregada... mas uma empregada diferente. Não ia ficar servindo cafezinho, nem abrindo porta, como era costume nas tramas (e muitas vezes é até hoje). Era um papel para Zezé se divertir, e isso acabou acontecendo realmente. A personagem era uma maluca, que também se chamava Zezé e sonhava em ser patroa. Ela trabalhava para os personagens dos atores Maria Della Costa e Walter Foster.

Zezé era moderníssima para a época. Usava as roupas da patroa, perucas, namorava o mordomo da casa e ainda dava festas quando o casal não estava. Numa viagem dos patrões, a personagem chegou a fazer uma sessão de Candomblé na sala da casa.

Podemos dizer que a teledramaturgia brasileira se divide em antes e depois de "Beto Rockfeller". Um enorme sucesso na época, estilo inovador, trazia uma linguagem completamente coloquial, fugindo das regras das telenovelas que os espectadores estavam acostumados.

ZEZÉ NA JUVENTUDE, EM FOTO TIRADA POR UM AMIGO

Com longa duração, a produção entrou no ar em 4 de novembro de 1968 e foi até 30 de novembro de 1969, com exatos 327 capítulos. Com direção de Lima Duarte e, tempos depois, sendo substituído por Walter Avancini, a novela se caracterizou pelo jeito informal de interpretação. Outra coisa interessante era o uso de gírias e expressões cotidianas, fazendo o público logo se identificar com a trama. O protagonista era Luiz Gustavo, vendedor de loja de sapatos na rua Teodoro Sampaio, em São Paulo. No elenco estavam Marília Pêra, Débora Duarte, Plínio Marcos, Bete Mendes, Irene

Ravache, Maria Della Costa, Etty Fraser, Eleonor Bruno (mãe de Nicette Bruno), Walter Stuart, Jofre Soares, Lima Duarte, Ana Rosa, Yara Lins, Othon Bastos, Walderez de Barros, Pepita Rodrigues, Walter Foster, Renato Corte Real, entre outros.

A personagem de Zezé teve grande repercussão pública. "Minha personagem era especial, tinha toda uma história. Não era uma empregada que só fazia comida e limpava a casa. Tinha vida própria... tinha dilemas, conflitos, além do humor, e isso era muito importante. Os telespectadores gostavam da aproximação dela com a vida real. Foi um papel que fez o público me notar", diz Zezé.

A peça "A Moreninha" e a gravação da primeira música

MARÍLIA PÊRA FOI CONVIDADA PARA PROTAGONIZAR A peça "A Moreninha", e indicou Zezé para um teste, em 1969. A atriz ficou com o papel de Paula, uma espécie de babá da Moreninha. No elenco também estavam Dinorah Marzullo e Antônia Marzullo, respectivamente mãe e avó de Marília.

Nesse espetáculo há uma história hilária que aconteceu com Dona Antônia, avó de Marília. Zezé fazia cafuné nela, em cena, e cantava uma música de autoria de Cláudio Petraglia: "Cafuné, cafuné, é de são, de são Tomé, veio lá das luandas, tem cheirinho de zimbanda. Leleé, leleé, leleé, leleá".

Certo dia, Dona Antônia, já bem idosa, dormiu no meio da cena. Desesperada, Zezé teve que cutucar a colega quando acabou de cantar. Dona Antônia tinha uma deixa para chamar Moreninha, após a canção. Zezé cutucava a atriz, tentando ser discreta para o público não perceber. Só que não teve jeito. Dona Antônia não acordava de jeito nenhum. Marília, que tinha o mesmo timbre dela, bem fininho, percebeu o desespero de Zezé e gritou da coxia: "Carolina!"

Dona Antônia levou um susto tão grande que quase caiu da cadeira. Zezé a segurou pelos ombros. O momento foi tenso, mas engraçadíssimo.

Na peça "Acho que é miss, apesar de tudo, Brasil", um dos primeiros trabalhos da jovem Zezé no teatro carioca O Tablado, em 1968.

A música que Zezé cantava no espetáculo foi a primeira que gravou na vida, realizando seu grande desejo de lançar um LP.

Houve outros momentos engraçados. Em uma cena, Zezé tinha que servir refresco para os personagens. Era uma cena importante. Alguém esbarrava em Zezé e o refresco caía na calça de Augusto, personagem de Perry Salles. A Moreninha limpava o refresco da sua roupa e então acontecia o primeiro beijo. Zezé tinha uma deixa para entrar no palco, mas tinha chegado atrasada na coxia. Porém, ela achou que a cena do casal não acabava nunca, que a dupla não dava a deixa para ela entrar. Foi quando o contrarregra foi ao seu encontro lhe dizer que ela chegara atrasada: o casal improvisava, pois Zezé não aparecera.

"Arena Conta..."

NO MESMO ANO, ZEZÉ FOI CONVIDADA A FAZER "ARENA Conta Bolívar" e "Arena Conta Zumbi", ao mesmo tempo, numa turnê. Como os nomes sugerem, as histórias falavam da vida de Bolívar, líder político venezuelano, e de Zumbi dos Palmares, último dos líderes do Quilombo dos Palmares, o maior dos quilombos do período Colonial.

Os espetáculos fizeram circuito universitário durante três meses, e o elenco viajou pelos Estados Unidos, México e Peru. As apresentações eram feitas em locais alternativos. Foi a primeira viagem internacional de Zezé. E foi com o Teatro de Arena, de Augusto Boal. Ele tinha um esquema moderno, de vanguarda. O figurino, por exemplo, era um só para as duas peças. A diferença é que de uma para a outra as cores das camisetas eram diferentes. Sempre desligada, a produção e os atores tinham que alertar Zezé: "A peça hoje é Bolívar, hein!"

As produções foram um sucesso. Zezé foi elogiada pelo The New York Times, que destacou sua voz e atuação. Na trupe de Boal estavam Isabel Ribeiro, Lima Duarte, Hélio Ary e Fernando Peixoto. Todos já consagrados no teatro e na TV.

Batismo de raça, no Harlen

TEVE UM DIA EM QUE ZEZÉ COMPROU UMA PERUCA CHA-nel lisa, usando-a nas peças. Um belo dia, a trupe foi se apresentar no Harlem, em Nova York, e um grupo de negros ficou chocado, porque Zezé usava peruca lisa. Após o espetáculo, cobraram do Boal ... queriam saber "o que aquela atriz alienada fazia ali". Ele saiu em defesa da atriz, mas foi em vão. Naquele momento, acontecia o ápice da moda da cabeleira *black*. Era a época do *black is beautiful*. Nos Estados Unidos era norma todo negro manter as características originais da raça.

Boal defendeu Zezé na ocasião. Desse dia em diante, começou a cair a ficha de Zezé. O episódio a fez assumir a negritude e as características da sua raça. O problema de Zezé na verdade não era com os cabelos e sim com a pele. Ela negava as suas origens, estava num processo de embranquecimento.

Bem, ante a confusão, a atriz correu para o hotel em que estava hospedada, tirou a peruca e colocou a cabeça debaixo do chuveiro, para que os cabelos voltassem ao natural. Além da peruca, ela costumava alisar os cabelos.

Considerou o banho em que tirou a peruca e desistiu do alisamento o seu batismo. Ela tinha cabelos curtos e, ao passar ao lado

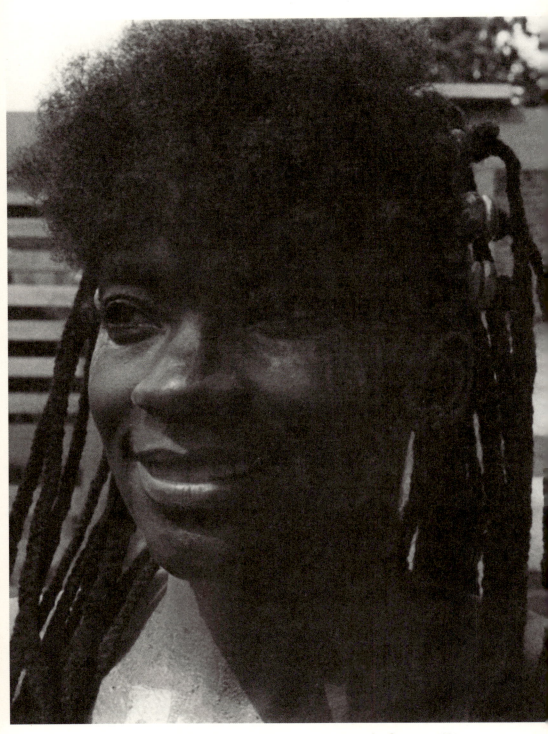

Zezé em "Quilombo", mais uma produção de sucesso, com direção de Cacá Diegues, em 1984.

das negras americanas de cabelões *black* naturais, ficava doida. Resolveu que os teria iguais.

Nessa viagem, Zezé conheceu Carmen Costa, que morava em Nova Jersey. Carmen a convidou para assistir ao seu show, e no meio da apresentação a chamou para uma canja. E lá foi Zezé soltar o vozeirão. O sucesso foi tão grande que Zezé recebeu convite para continuar cantando ali. Mas não teve coragem de se mudar para os Estados Unidos.

Carmem lhe deu de presente uma peruca *Black Power* e assim Zezé passou a fazer a peça com a peruca. Ao retornar ao Brasil, Zezé acabou fazendo parte do MNU – Movimento Unificado Contra a Discriminação Racial.

A negação da cor

ANTES DO EPISÓDIO DO HARLEM, ZEZÉ PASSOU POR UM momento de negação da cor. Em todos os lugares que frequentava, era a única negra. Adolescentes que a cercavam lhe diziam que ela tinha bunda grande, cabelo ruim e nariz chato. Isso começou a lhe incomodar. Zezé entrou num processo de embranquecimento, passando a alisar os cabelos com ferro quente. Mas os cabelos ficavam sem muita forma. Foi quando começou a usar peruca Chanel Lisa.

Assistindo a um filme de Fellini, viu uma negra de olhos verdes e pensou: "Ela ganhou esse papel porque tem olhos verdes". E alguém lhe falou: "Esses olhos podem ser lentes de contato!" Bastou isso para que ela também resolvesse colocar lentes de contato. Só que no Brasil ainda não havia lentes coloridas. Como não tinha grana para importar um par, desistiu da ideia. Depois, chegou a pensar em operar os glúteos e o nariz. Usou a peruca até 1969.

Voltando um pouquinho mais no tempo, há uma história que envolve a problemática da cor na vida da atriz. Na época em que estudava teatro, estava completamente sem tempo para nada. Um dia, encontrou com Dona Leda, mãe da Sônia, sua melhor amiga, que lhe fez a seguinte pergunta: "Vem cá, você sumiu, não procura mais a Sônia, vocês brigaram?" Zezé respondeu: "Não, Dona Leda, minha vida está uma loucura, ajudo minha mãe no atelier, estou cursando contabilidade e ainda estou fazendo curso de arte dramática". Dona Leda soltou a pérola: "Não sabia que para fazer papel de empregada é preciso fazer curso de arte dramática".

Aquilo bateu tão pesado em Zezé que ela só foi entender o comentário depois de se tornar profissional. Era exatamente o que via acontecer na televisão e no cinema. Atores negros eram chamados para interpretar empregados. Era realidade. E essa mentalidade durou muitos anos.

O ano de 1969 foi intenso na vida da atriz. Ela participou da montagem de "Hamlet", protagonizada por Walmor Chagas, com direção de Flávio Rangel, um dos mais importantes diretores da época. A atriz Lilian Lemmertz também participava, interpretando Ofélia. Zezé fazia a Rainha Comediante. A peça foi apresentada em São Paulo, em 1969, e depois no Rio, em 1970. Além de Walmor e Lilian, havia um timaço de artistas: Claudio Correa e Castro, Beatriz Segall, Jonas Bloch, Otávio Augusto, Lineu Dias e Zózimo Bulbul.

Em seguida, fez um filme que se chamava "Em Cada Coração um Punhal", com direção de Sebastião de Souza. No elenco estavam Etty Fraser, Liana Duval e Jhon Herbert. Foi seu primeiro filme, que na verdade fez uma pequena participação.

Em 1970, Marília Pêra produziu e estrelou "A Vida Escrachada de Joana Martini e Baby Stompanato", chamando Zezé para fazer a personagem Pérola Negra. Marília convidou também André Valli e Marco Nanini. Havia sempre uma turma de amigos de Marília em suas peças, tanto que eles eram chamados de "Marilhetes". Viviam grudados na atriz. A peça era uma sátira ao Teatro de Revista. Marília fazia a vedete Joana Martini e Hélio Souto fazia o Baby Stompanato. Os dois personagens foram muito populares na novela "Super Plá", de Bráulio Pedroso. Assim que a novela acabou, ele escreveu a peça e chamou os mesmos atores da novela para o teatro. A personagem de Zezé participava do coro, cantava e dançava. Num certo momento, os atores tinham que dar dois passos para trás e cantar: "Escorrega, escorrega, escorrega e cai".

Marília sempre alertava Zezé para ter cuidado com o fosso. Zezé fez a tal cena diversas vezes, até que num dia, calçando um sapato com um salto à la Carmen Miranda, caiu no fosso da orquestra.

Uma de suas pernas foi parar no colo de um músico, e a outra na Tuba. Ela então se lembrou de um ensinamento de Zé Celso: "Quando errar em cena, o ator tem que errar com convicção". Então, Zezé não deixou que o erro ficasse evidenciado e continuou cantando a música até o fim na mesma posição em que caiu. Tentando se equilibrar, mexendo as mãos e cantando. O músico depois lhe disse que não sabia se chorava pela Tuba destruída ou pela dor que sentia na perna".

Na mesma peça falava-se dos sete pecados capitais e Zezé fazia o ódio. Ela tinha que descer as escadas com um ornamento amarrado na testa. Certo dia, não amarraram direito e o pano cobriu seus olhos. Ela perdeu a visão e rolou as escadas que davam para a plateia. Aí, se lembrou novamente que não podia entregar os pontos e gritou bem alto: "Eu sou o ódio!"

A montagem deu o que falar. Foi proibida pela censura no Rio de Janeiro, onde era apresentada no Teatro Ipanema. Marília, porém, tinha um certificado liberando-a para percorrer todo o Brasil. Com esse documento e aproveitando-se de seu prestígio, fez um estardalhaço na imprensa e a peça foi liberada também no Rio.

Em 1970, Zezé fez uma ponta como frequentadora de um bar no filme "Cléo e Daniel", com direção de Roberto Freire, o autor do texto. No elenco estavam Beatriz Segall, Myriam Muniz, Lélia Abramo e Jhon Herbert.

Em seguida, fez o filme "Vai Trabalhar, Vagabundo". O roteiro era de Hugo Carvana e Armando Costa e a direção de Hugo. Sua personagem se chamava Shirley, uma das namoradas do vagabundo, interpretado pelo próprio Carvana. Zezé fez um teste para esse filme e Hugo a escolheu. O longa ganhou vários prêmios, como o Kikito, em Gramado, e o prêmio Air France de Cinema.

A produção teve grande importância para a atriz. Mas, depois de "Xica da Silva", que obteve tão grande sucesso, acabou ficando em segundo plano em sua vida. E isso causou uma sensação de saia justa com Carvana. Pouco antes de ele morrer, porém, ela concedeu uma entrevista falando sobre a importância do filme e do diretor em sua carreira.

Depois, em 1972, participou da novela "A Patota", de Maria Clara Machado, dirigida por Reinaldo Boury. Essa foi a sua primeira novela na Globo. Maria Clara escreveu um papel especialmente para Zezé, uma universitária que queria ser cantora. Nessa novela também estrelavam Débora Duarte, Mário Gomes, Rosana Garcia, Lúcia Alves, Pedro Paulo Rangel, Renata Fronzi e Reinaldo Gonzaga. Falando em Reinaldo Gonzaga, ele fazia Milton, por quem a personagem de Zezé se apaixonava. Zezé ficava incomodadíssima quando ouvia o diretor gritar: "Olha o casal *Black and White*".

Ela nunca parava e emendou o trabalho na peça "Fígaro, Fígaro ou Um Dia Muito Louco", que estreou em 1972. Uma comédia de Beaumarchais com direção de Gianni Ratto. Sua personagem era a Condessa de Alma Viva. Os personagens principais se invertiam. A condessa era negra e a empregada branca. Beatriz Segall era quem fazia a criada. Ela resolveu pintar o cabelo de loiro de propósito, para chocar. Durante os primeiros vinte minutos da peça só se falava na Condessa de Alma Viva, isso criava uma expectativa grande para a sua aparição. Quando Zezé entrava em cena, o tititi na plateia era grande. As pessoas cochichavam e se catucavam, afinal a condessa negra e a criada era branca, loira e de olhos azuis. Depois, sempre aconteciam debates em que as pessoas falavam não acreditar que pudesse existir uma condessa negra. Foi um trabalho que lhe rendeu ótimas críticas. Sábato Magaldi fez uma crítica na Folha da Tarde em que dizia: "Zezé Motta está no ponto alto da sua carreira, vivendo com grande segurança e domínio a condessa".Uma crítica dessas, vinda de um homem de teatro como Sábato, era um presente e tanto para Zezé.

"Orfeu da Conceição", escrita por Vinicius de Moraes, em 1956, teve na primeira montagem Léa Garcia, Haroldo Costa, Zeny Pereira e Ruth de Souza. A estreia aconteceu no Theatro Municipal do Rio de Janeiro. Oscar Niemeyer fez os cenários, Carlos Scliar e Djanira fizeram o design do cartaz. A montagem foi histórica. Primeira vez que atores negros se apresentavam naquele palco mítico.

Depois, Zezé participou de "Orfeu", em 1972, no Teatro Tereza Rachel, em Copacabana. Fazia a personagem Eurídice. Zózimo Bulbul interpretava Orfeu e a direção era de Haroldo de Oliveira. Antes, eles se apresentavam no Renascença, em Vila Isabel, clube frequentado por negros. Uma das frequentadoras, Vera Lúcia Couto, Miss Brasil, foi a primeira negra a receber o título no país.

"Como passou o meu amor sem mim? Pensou em mim? (suspira). Três horas e quarenta minutos sem olhar o meu amor. Ah! meu amor mais lindo..."

(Fala de Eurídice)

Em 1973, veio o filme "Rainha Diaba", com roteiro de Plínio Marcos e direção de Antônio Carlos Fontoura. O ator Milton Gonçalves era o protagonista e fazia a Diaba, gay que controlava um narcotráfico. Os atores Odete Lara, Stepan Nercessian, Iara Cortes e Nelson Xavier também eram do elenco. Havia muitos outros atores, o elenco era grande. Foi um filme curioso na visão de Zezé. Ela tinha uma aparição de três minutos, mas ficou na memória do povo. Fazia uma prostituta, mas ocorria algo fora do habitual em filmes com prostitutas. Enquanto a polícia invadia a sua casa, ela ia se vestindo. A personagem de Zezé tinha um caso com um bandido, o Bigode, interpretado por Haroldo de Oliveira.

Nesse mesmo ano, participou do curta-metragem "Missa do Galo", de Romam B. Stubalch, estrelado por Fernanda Montenegro. O ator Fernando Torres, marido de Fernanda, também estava no elenco, que ainda tinha Susy Arruda e Flávio Santiago, padrinho artístico de Zezé.

Em 1974, Zezé participou do longa "Banana Mecânica", comédia produzida por Carlos Imperial, com direção de Braz Chediak. A trama se desenrolava a partir de um psicanalista que tinha uma coluna no jornal e cuja amiga fazia de tudo para ajudá-lo a conquistar as mulheres. Carlos Imperial era o protagonista e o elenco ainda trazia Ary Fontoura, Henriquieta Brieba e Felipe Carone.

Reza a lenda que Braz Chediak não aprovou o título do filme por causa da referência ao "Laranja Mecânica", filme polêmico. Braz sugeriu a Imperial que usasse o nome da coluna que ele assinava no Última Hora, "Como abater uma lebre". Enfim, acabou vencendo o primeiro título mesmo. Ainda em 1974, logo em seguida, a atriz foi parar na novela "Supermanoela", da Rede Globo, que passava às 19h e substituía "Carinhoso", um grande sucesso. Era uma super responsabilidade aos atores e produção em geral. Marília Pêra fazia Manoela. Zezé foi chamada para fazer o papel de uma empregada, Doralice. Ficou na dúvida se fazia ou não, mas Walter Negrão, que escrevia a trama, garantiu que a personagem tinha importância. E realmente tinha. Era ótima. Mas aí apareceu a censura. A personagem se intrometia na vida dos patrões e a ditadura militar achou aquilo um mal exemplo. Negrão foi obrigado então a diminuir a participação de Zezé, que passou a fazer exatamente aquilo que não queria, abrir e fechar portas e servir café.

A novela tinha muita gente bacana... Gracindo Júnior, Carlos Vereza, Rogério Fróes, Sérgio Britto, Daysi Lucidi, Zilka Salaberry... e foi dirigida por Reinaldo Boury e Gonzaga Blota.

O musical "Godspell", também em 1974, foi importante profissionalmente para Zezé. Por meio dele, Nelson Motta sugeriu a Cacá Diegues que a convidasse a fazer Xica da Silva. Nelsinho a assistiu e se lembrou da impactante atuação. Zezé cantava uma música chamada "Bless the Lord" e acontecia uma coisa inédita, no teatro: as pessoas pediam bis no meio da peça.

Zezé estava no auge de sua vitalidade vocal, sua voz se extendia bastante, isso impressionava a todos. Transitava do grave ao agudo com a maior facilidade. Ela fazia aulas de canto (fez por 12 anos) e lembra que seu agudo era tão alto que uma das suas professoras, a italiana Fernanda Gianneti, dizia: "Zezé, você está acabando com as notas do piano!" Zezé alcançava nota a nota.

Naquela época, ela fazia um tipo muito andrógino. Era estranha, usava cabelos muito curtinhos com bico de viúva, batom e unhas pretas. Na verdade, Carlos Prieto que criara o visual para ela, que fazia tudo o que ele sugeria. Certa vez, quando foi aos Estados Unidos, pegou um táxi sozinha para treinar seu inglês. Quando entrou no carro puxou assunto com o motorista e ele não lhe respondeu. Zezé perguntou: "O senhor não está me ouvindo?!" Ele respondeu, curto e grosso: "Eu não converso com travesti!" Não deu para ela discutir, pois não sabia inglês o suficiente.

"Boa tarde, Xica da Silva!"

QUANDO CACÁ COMEÇOU A PROCURAR UMA ATRIZ QUE fosse a encarnação viva da escrava Xica da Silva, quase desistiu do filme. As informações que tinha sobre ela é que não foi uma mulher bonita e era difícil no trato.

Após indicação de Nelson Motta, Zezé foi chamada para um teste, em 1974. O cineasta já ouvira falar de Zezé por meio de amigos em comum. Além de Nelson Motta, Marieta Severo e Chico Buarque já tinham comentado com o diretor sobre ela.

No teste, a atriz devia fazer a cena em que era proibida de entrar numa igreja e por isso tinha um ataque de nervos. "Essa igreja foi construída com o dinheiro do meu homem! Se eu quiser, mando pintar essa igreja de preto, por dentro e por fora! Seus porcarias! Seus merdas!", deveria dizia a atriz.

Muitas participaram do teste, centenas. Zezé não se recorda quem eram, só se lembra das notas que saiam no jornal. "Cacá Diegues vai testar uma sambista que mora em Paris." "Diegues vai testar a atriz tal...", "Cineasta testa modelo desconhecida do grande público". Foi um sofrimento a espera do resultado.

Enquanto isso, ela foi à Bahia fazer "A Força de Xangô", com Iberê Cavalcanti, em que interpretava uma modelo. O filme era muito ousado, como ela mesma diz. Cada personagem era um orixá. O da Zezé era uma pomba gira. Enquanto filmava, fuçava ansiosamente nas páginas dos jornais, para saber se Cacá Diegues a tinha escolhido.

Houve um momento em que desistiu. Ficou um mês inteiro na Bahia e, no dia em que chegou ao Rio, enquanto almoçava, recebeu a ligação de um produtor do filme, Oleosi. Do outro lado da linha, ouviu: "Boa tarde, Xica da Silva!"

Primeiro, achou que era uma brincadeira de alguém que sabia que tinha feito o teste. Mas, não. Zezé tinha sido escolhida. Como ela não contava mais com isso, o susto foi grande. Ficou tão empolgada que saiu ligando para a família e para os amigos. Daquele dia em diante sua vida virou uma confusão, no bom sentido. A imprensa inteira ficou atrás de Zezé. Era apenas um sinal do que aconteceria dali para a frente. Ser protagonista de um filme de Cacá Diegues, um filme super esperado, era muita responsabilidade. Poderia mudar a sua vida para melhor ou pior.

O cachê não era lá muita coisa. Ela ainda não tinha uma carreira no cinema com grandes papéis, mas o que o filme lhe trouxe de retorno profissional, valeu mais do que um alto salário.

A ideia do filme aconteceu em 1963, depois que Cacá Diegues assistiu ao desfile da Salgueiro, escola campeã daquele Carnaval. Ele simplesmente amou o enredo, que contava a história da escrava, e se aprofundou em sua vida através de estudos e pesquisas.

Em 1974, lá foi Zezé, Diegues e toda a equipe para Diamantina, no Vale do Jequitinhonha, em Minas Gerais, onde ficaram por três meses. Só respiravam o filme, dia e noite. Inclusive no Natal e no Réveillon daquele ano, e no Carnaval de 1975. Todo o filme foi rodado em locais próximos. O mais impressionante é que o povo da cidade se envolveu com as filmagens. Pessoas de todas as idades se juntaram à produção. Estavam muito felizes, pois a história da cidade estava sendo contada. O clima era super natural. Atores e figurantes passavam caracterizados com roupas de época entre os carros, pelas ruas. Não era raro ver algum ator tomando água na porta da casa de alguém. Era como se o filme e Diamantina fossem uma coisa única. Sempre havia muita gente assistindo e ajudando no que fosse preciso.

Jarbas Barbosa, irmão do Chacrinha, produzia o filme. Com seu talento e ousadia, conseguiu organizar a população de Diamantina, arranjando objetos históricos para as cenas e alugando várias casas para servirem de locação. Até os fios dos postes ele conseguiu esconder para que não aparecessem no filme. Um trabalho primoroso.

Além do trabalho árduo, a equipe arrumava tempo para se divertir, dentro do *set* do antigo Arraial Tijuco e no dia a dia da cidade mineira. "Sabe que ainda hoje as pessoas falam que Diamantina era uma coisa antes e outra coisa depois das filmagens na cidade? Ficamos envolvidos, tanto que nas festas de final de ano e no Carnaval não voltamos para as nossas casas, comemoramos as festas por lá. Sou extremamente distraída, e foi importante ficar em Diamantina por noventa dias, pensando e vivendo a Xica da Silva. Isso me ajudou na composição da personagem, tanto externamente como em suas emoções", lembra Zezé.

O papel a consagrou e a fez ganhar diversos prêmios, como, por exemplo, o Coruja de Ouro, pelo Instituto Nacional de Cinema (INC); o Candango, no Festival de Brasília; e até um coelhinho, da revista Playboy, por ter ficado nua no filme.

Elke Maravilha fazia a personagem Hortência, inimiga de Xica da Silva. No Carnaval, Zezé deu ideia a Elke de ambas levarem para a cidade perucas e roupas coloridas. O figurino tinha tudo a ver com Carnaval. Só que nem precisou. Duas senhoras de Diamantina foram ao Hotel Tijuco, onde a equipe técnica e elenco estavam hospedados, e perguntaram à Elke se ela podia emprestar

No filme "Xica da Silva", também dirigido por Cacá Diegues, em 1976.

suas roupas para seus maridos. Eles queriam se fantasiar de Elke no Carnaval de rua. Um deles era o reitor da Universidade local e o outro era professor. Elke ficou tão animada com a ideia que ela mesmo ajudou os senhores a se arrumarem.

Zezé e toda a equipe costumavam jantar no restaurante do Hotel Tijuco. Ficavam papeando e as pessoas que chegavam acabavam se enturmando. Era uma trupe de artistas divertida. Atores, produção técnica e população viraram membros de uma mesma família.

Mesmo com muito trabalho, a equipe não perdia o humor e o clima era muito bom nos bastidores. Esse reflexo é possível de se ver no filme.

As gravações de Xica da Silva

EM 1976, ZEZÉ ACABOU SE MUDANDO PARA DIAMANTI-na, para as filmagens. O elenco sempre tinha dias de folga, menos Zezé. Cacá Diegues percebeu que ela era muito dispersa, portanto não queria que ela se afastasse da personagem. Ela devia ficar 24 horas no *set*. Zezé respirou Xica da Silva o tempo todo, durante todos aqueles meses. Cacá ficava na sua cola, não dava moleza. Uma vez, ele a encontrou depois do jantar, numa rodinha, jogando baralho e disse: "A cena de amanhã está tranquila para você, né?" Zezé entrou em pânico, pois não havia estudado o texto.

Cacá fazia a preparação de atores, dando ferramentas para a composição de Xica. Não existia isso que hoje que é o prepa-rador de elenco, o famoso *coach*. Quem fazia este trabalho era o próprio diretor.

No dia da filmagem da porta da igreja, por exemplo, Cacá percebeu que Zezé tinha dificuldade de por para fora a agressi-vidade que a cena exigia. Cacá precisava que ela estivesse extre-mamente agressiva.

Zezé falava baixinho, era conciliadora, calma. Ele filmou diver-sas vezes e não conseguia o leão que precisava tirar da alma dela.

Então, usou uma estratégia: pediu para a produção que não atendesse Zezé em nenhuma solicitação.

Fazia um calor absurdo no *set*. Zezé estava morrendo de sede. Pedia água à produção e ninguém providenciava, ninguém lhe dava a menor importância. Ela começou a ficar de mau humor. Quando estava bastante irritada, Cacá falou para o diretor de fotografia, Zé Medeiros, que ele mesmo ia fazer a filmagem. Pegou a câmera e conseguiu a agressividade que precisava.

Em outra cena, quando Xica se despede de João Fernandes, Cacá falou: "Zezé, não faço questão de lágrimas, mas é o amor da sua vida que está indo embora. O público tem que perceber que você tá arrasada". Zezé estava de preto para a cena final. A filmavam aconteceria no Museu da Cidade, local em que Xica viveu de verdade. Um segurança na porta cuidava do lugar para que ninguém entrasse e interferisse na concentração dos atores.

Ela resolveu usar da sua memória afetiva para construir a cena. Pensou em coisas tristes que tinham acontecido e em outras que poderiam vir acontecer. O falecimento da atriz Adriana Prieto, irmã de Carlos Prieto, seu visagista, era uma delas. Por meio de Carlos, Zezé ficou amiga de Adriana. Linda e talentosa, com inúmeros filmes, Adriana era uma estrela do cinema nacional. Ela tinha acabado um namoro, estava nervosa, saiu de carro e sofreu um acidente. Essa foi uma das cenas que passou na cabeça de Zezé na hora da filmagem. E a atriz conseguiu a emoção que precisava, na medida exata. Saiu do museu exaurida de tanta carga dramática e mental. Ela se entregou e depois ficou sem energia. Mas a cena ficou primorosa.

Um acidente terrível aconteceu nos bastidores das filmagens. Foi durante a cena em que Xica pede a João Fernandes para conhecer o mar. Minas não tem mar, como todos sabem. João Fernandes então manda construir um barco, onde ia fazer uma festa enorme para a amada. Em determinado momento, Xica olha o mar – na verdade, uma represa -, e fala: "Então é isso o mar? Sabe de uma coisa, estou achando o mar muito chato!" Um personagem responde: "Se ao menos estivéssemos num naufrágio!"

Por incrível que pareça, o barco virou, após o texto confirmado a força das palavras. A embarcação havia sido feita por um rapaz com mania de inventor, até mesmo uma bicicleta voadora ele havia feito. O barco cenográfico tinha dois andares, mas não havia estrutura para carregar tanto peso. Quando viu o elenco entrar na barca, o inventor alertou: "Dividam o peso!" Mesmo assim, o barco virou e, por um milagre, ninguém morreu.

O acidente ocorreu porque a embarcação bateu numa pedra. Zezé caiu dentro d´água, afundou, mas seu figurino a ajudou, porque tinha anáguas de arame que a fizeram flutuar.

Zezé afundava, bebia água e flutuava pegando um pouco de ar. Numa dessas, deu de cara com o próprio barco, segurou em suas bordas e ali ficou. Quando já estava perdendo as forças, Beto Leão, assistente de cenografia, seu namorado na época, apareceu para salvá-la, juntamente com Cacá. Beto a segurou de um lado e Cacá do outro. Foi um desespero, as pessoas em pânico, gritaria geral. O acidente foi mostrado no Fantástico.

Quando Zezé viu as imagens, ficou chocada, pois no calor do momento não teve noção do que havia se passado. Não sabia como tinha conseguido ter forças para sobreviver. Muitas pessoas da equipe e do elenco se machucaram bastante, quebraram pernas e braços.

Zezé ficou 24 horas em estado de choque, sem reagir, e as filmagens tiveram que parar um mês. Um dos motivos foram os figurinos estragados. Muitas câmeras se perderam e outras se quebraram.

Zezé internacional

ENQUANTO FILMAVA, ZEZÉ NÃO TINHA A MENOR NOÇÃO de que aconteceria uma virada e uma explosão em sua carreira e também na sua vida pessoal. Para se ter uma ideia, antes da produção, ela tinha feito uma única viagem internacional, com o espetáculo de Boal, em que conhecera três países, Estados Unidos, México e Peru. Depois da estreia de "Xica da Silva", conheceu 16 países de uma vez só. Em alguns, ia para divulgar o filme. Outros a chamavam para cantar.

Zezé fez muitos shows nos Estados Unidos. Os cartazes anunciavam: "Show de Zezé Motta, a estrela do filme 'Xica da Silva'."

Com o filme, ganhou muitos prêmios, como o do Festival de Brasília e o Air France. E também prêmios internacionais. O filme abriu um mercado profissional para ela. Quando foi lançá-lo nos Estados Unidos, encontrou Sônia Braga, símbolo sexual da época, que acabara de estrelar "Dona Flor e seus dois maridos".

Depois de Xica, Zezé também se transformou num símbolo sexual. Zezé e Sônia Braga eram dois grandes sucessos na época. Zezé não ganhou dinheiro para fazer o filme, mas o trabalho se desdobrou em muitos outros e a transformou na estrela que é.

O primeiro IP

DEVIDO AO MUSICAL "GODSPELL", ZEZÉ GRAVOU SEU primeiro LP. O Secos e Molhados, do qual Ney Matogrosso fazia parte, estava se desfazendo. Em 1975, o músico Gerson Conrad, que fazia parte do grupo, tinha criado um repertório novo para o Ney e acabou ficando sem intérprete. Gerson começou a procurar uma cantora e numa dessas foi assistir ao musical, convidando Zezé para gravar.

Assim ela fez seu primeiro LP, com produção de Márcio Augusto. Todas as músicas eram compostas por Gerson Conrad e Paulinho Mendonça. Zezé cantava lindamente "Day by Day". O nome do LP é "Gerson Conrad e Zezé Motta".

Ela fazia um show com Gerson Conrad em que cantava a música "Estranho Sorriso", dedicada a um amigo, preso político. Ela sempre ia visitá-lo no Presídio da Frei Caneca e ele sempre a recebia com um sorriso no rosto.

Mas a censura assistia aos shows e proibiu Zezé de falar o nome dele. A cantora dizia: "Gostaria de dedicar essa música para um amigo, mas a censura me proibiu". Ela era aplaudida todos os dias.

O disco saiu pela Som Livre, mas não deslanchou. A comercialização foi ruim e o disco encalhou. Mas Zezé continuou batalhando por seu espaço na música.

A canção "Postal de Amor", de Fagner e Fausto Nilo, gravada por Ney Matogrosso num compacto simples de 1975 fazia parte do primeiro show de Zezé. Quando ouviu a música pela primeira vez, imaginou alguém que enlouquecia por amor. Ela então se lembrou da sua tia Elza, irmã da mãe, que havia morrido por amor.

Elza tinha se casado com o primeiro namorado, teve um filho e nunca conheceu outro homem na vida. Um dia, ele conheceu uma mulher mais jovem e se apaixonou. Separou-se de Elza e foi viver com a tal mulher, no Morro Dona Marta. Elza ficou mal de cabeça. Um belo dia, abriu a porta de casa para o trabalho e deu de cara com o ex marido passando com a nova mulher. Travou a mão na maçaneta e ficou em estado de choque. Foi internada, parou de comer, negou-se a tomar remédios e morreu. Por isso, Zezé sempre cantava a música e dedicava a sua tia.

Um dia, Zezé estava no apartamento do Fausto Nilo, que dava para ver a Ladeira dos Tabajaras, em Copacabana. Ela falou: "Fausto, sabe a música que dedico à minha tia Elza? Ela morava bem ali". Ele disse: "Fiz essa canção olhando para Ladeira". A atriz se arrepia a cada vez que lembra da história. A letra da canção é a seguinte:

Em 1975, no musical "Pobre Menina Rica", a atriz interpretava Maria Moita. A peça foi escrita por Carlos Lyra e Vinicius de Moraes. A atriz americana Kate Lira, casada com Lyra, conhecida pelo bordão "Brasileiro é tudo bonzinho!", fazia a menina rica no espetáculo. Ótima atriz, linda, encaixava-se como uma luva na personagem. Profissionalmente o trabalho foi bom para Zezé, teve até uma crítica bacana, escrita por Orlando Senna, jornalista baiano, secretário audiovisual do Ministério da Cultura. Ele foi para o Rio em 1972 e trabalhou no Correio da Manhã, Ultima Hora e Jornal do Brasil. Seu texto no Correio dizia: "Zezé Motta é uma das intérpretes brasileiras de maior força comunicativa. Ela está como uma flecha em um arco retesado, uma mão que se abre e ela voa até onde só Deus sabe. Os grandes musicais, os shows noturnos, um provável novo teatro de revista brasileiro deve reservar um lugar de destaque para ela e o produtor. O descobridor de talentos que não vê as possibilidades de Zezé é, no mínimo, incompetente".

Como diz o ditado, o bom filho à casa torna. Foi o que fez a artista. Voltou a morar no apartamento do prédio Maracananzinho, no Leblon. Sua mãe já tinha comprado um apartamento maior na zona norte, mas Zezé resolveu pagar aluguel no Maracanazinho, porque havia deixado seu atelier no local. O fato se deu quando retornou de sua estadia em São Paulo. Morou no lugar com o ator Rinaldo Genes, seu namorado na época, durante dois anos, até se separarem.

Nos encontros de amigos de teatro, acabou conhecendo o diretor Wolf Maia. Zezé ia sair do apartamento em que morava para procurar outro. Wolf tinha alugado um para morar com uma namorada, mas a moça sofreu um acidente e faleceu. Batendo um papo com Wolf, sobre a separação, ele perguntou: "Quer morar comigo?" Zezé aceitou e lá foi ela morar num apartamentão na Fonte da Saudade, na Lagoa, lugar arejado e com quintal.

Vários artistas acabaram indo morar no lugar, Marco Nanini, Ney Matogrosso, Ronaldo Resedá... Aliás, muita gente não sabe... a rua que moravam se chamava Resedá. O cantor Ronaldo usou o nome da rua como nome artístico, passando a se chamar Ronaldo Resedá.

Ney Matogrosso entrou no lugar de Zezé, quando ela foi fazer Xica da Silva, já que ela devia passar alguns meses em Diamantina, momento em que ele se afastava do Secos e Molhados.

Um belo dia, Lucélia Santos também apareceu por lá. Também resolvera fixar residência no Rio, pois a sua carreira estava acontecendo na cidade. Zezé disse para ela: "Querida, aqui não tem mais espaço para ninguém". Lucélia foi andando pela casa, conhecendo tudo. Quando ela chegou no quarto de empregada, disse: "Posso morar aqui!"

Zezé na série de tevê "Ciranda, Cirandinha", de 1978.

Lucélia era uma querida e o grupo não lhe negou moradia, embora não coubesse mais nenhum mosquito na casa. E seu quarto, muito aconchegante, virou o grande point da casa, onde todos se reuniam pra bater papo.

Ainda em 1975, Zezé fez uma participação no filme "Um Varão entre as Mulheres", com direção de Victor Di Mello e protagonizado por Jorge Dória. Era uma comédia dividida em cinco episódios. Cada ator atuava num deles... Um elenco feminino em que o único homem era Dória. Tinha Sandra Barsotti, Lady Franciscus, Nídia de Paula, Mara Lise, Diana Nóbrega e Zezé.

Zezé símbolo sexual

A ESTRELA VIROU SÍMBOLO SEXUAL. UMA LOUCURA, pois ela nunca sequer investiu e pensou na possibilidade de ganhar o título, que representou uma chateação para ela. No entanto, a personagem Xica da Silva era uma louca em matéria de sexo, não se reprimia, era uma libertina, transava bastante e deixava os homens loucos.

Claro que as pessoas confundiam pessoa com personagem, e isso criava uma expectativa grande nos homens em geral, e também no seu namorado. Todos esperavam de Zezé a mesma performance da personagem. Vez ou outra, para não decepcionar os fãs, Zezé até fazia cena. Até que aconteceu algo constrangedor. A atriz estava de minissaia num táxi. O motorista começou a olhá-la pelo retrovisor sem parar e, de repente, virou-se para trás e começou a passar as mãos em suas coxas. Zezé ficou apavorada, pensou que estava sendo sequestrada. Para sua sorte, o táxi parou num sinal em que havia um guarda. Zezé não pensou duas vezes. Abriu a porta do carro e saltou.

Antes, falavam que Zezé era feia. Quando começou-se a dizer que era símbolo sexual, passaram a ver que era a mulher mais linda

A ATRIZ EM UMA DE SUAS APRESENTAÇÕES MUSICAIS NOS ESTÚDIOS DA REDE GLOBO.

do mundo. E isso ela sempre foi! Claro que nossa atriz passou a se sentir ótima. O *status* de ser um símbolo sexual durou alguns anos e certos filmes. Uma vez, Domingos de Oliveira lhe falou: "Zezé, mesmo quando te vejo vestida, tenho a sensação que está completamente nua!"

Assim que Xica da Silva explodiu, começaram os convites para Zezé. O primeiro foi da Rede Globo, para o Caso Especial Festa de Aniversário, adaptação da obra de Clarisse Lispector. Um adendo: hoje Zezé mora na mesma residência em que Clarisse morou durante dez anos, no Leme, no Rio de Janeiro.

Zezé ficou empolgada com o convite, mas não era bem assim. Em sua cabeça, estavam lhe convidando para um papel bacana, de destaque, afinal ela estava na onda. Não almejava ser protagonista, mas um bom papel. Chegando na Globo, veio a decepção. O papel era praticamente uma figuração, uma mulher que servia doces. Na hora, o sangue lhe subiu à cabeça e ela negou participar. Só que o saudoso Ziembinski, diretor do Caso Especial, disse: "Zezé, não feche essa porta, está fazendo uma bobagem. Os atores precisam da TV para sobreviver. Apesar do grande sucesso da Xica, a vida continua, você não pode parar". Ele tinha razão, mas Zezé estava naquele momento de sucesso da Xica, pensava que nunca mais faria empregadas, a não ser uma que tivesse uma história boa. Bem, ela bateu o pé e não aceitou o papel. As notícias correm rápido, e isso saiu na imprensa. Diretores pararam de chamar Zezé.

Mas o fato não durou muito tempo e, logo em seguida, ela recebeu o convite para um programa chamado Calendário, na TVE, como apresentadora. O programa era uma revista eletrônica, que nada tinha a ver com a teledramaturgia e sim com o jornalismo.

Movimento Negro

COM XICA, ZEZÉ VIAJOU MUNDO AFORA E TODOS LHE perguntavam sobre tudo, inclusive como era ser protagonista de um grande filme, como era ter todo o espaço na mídia e, inevitavelmente, tocava-se na questão racial. Ela tinha um sentimento, mas não tinha um discurso elaborado para responder sobre a questão do racismo. Zezé tinha que se preparar para isso.

As pessoas mais radicais do Movimento Negro eram contra o filme. Achavam que Xica da Silva era explorada muito mais pelo lado sensual do que por outros atributos. E Cacá dizia: "Esse é meu filme, façam os seus!"

Zezé até compreendia a reflexão. Sempre se falou por aqui sobre o negro como exótico, da sensualidade, que o homem negro é muito viril, que a mulher negra é mais sexual. Bom, baseado nisso tudo, Zezé começou a dizer: "Gente, não cobrem de Xica da Silva atitudes de Angela Davis".

Zezé acha que o Movimento Negro avançou bastante daquela época para cá. Nos velhos tempos, membros se reuniam, mas só reclamavam da vida. Hoje, reúnem-se com mais frequência. Surgiram os bailes de *soul*, revistas especializadas, como a Raça, que documentam tudo relacionado ao movimento, que passou a denunciar, a cobrar, a discutir a questão das cotas etc. E agora ninguém fica calado. Há a Universidade Palmares, na capital paulista, por exemplo. Os casos de racismo na internet atacando Tais Araújo, Ludmilla, Preta Gil e a jornalista Maju foram extremamente discutidos na mídia nacional. Elas colocaram a boca no trombone, acionaram delegacia e assim conseguiram dar mais um impulso no que diz respeito à situação do negro em nosso país.

Quando "Xica da Silva" estourou, a atriz estava em cartaz com a peça "Rendez-Vouz", com Eva Todor, no Teatro Maison de France, no Centro do Rio de Janeiro. A direção era de Antônio Pedro. Zezé passava pelo Cine Odeon e via uma fila enorme de pessoas que iam assistir ao filme que ela estrelava. No teatro ao lado, ela interpretava uma simples camareira, bem assanhada, daquelas que levantam o bumbum para chamar a atenção. Um dia, Maria Clara Machado foi assistir à peça, sentou na primeira fila e no final disse: "Muito bonito... foi para isso que estudou artes dramáticas?" Mas Zezé era um sucesso indiscutível!

Antes do filme, as pessoas iam ao teatro para ver Eva Todor. Depois que estourou, as pessoas passaram a ir para ver Zezé Motta também. Muitas pessoas começaram a reclamar que Zezé aparecia pouco na peça. Antônio Pedro e Eva Todor se reuniram – eles tinham noção da explosão de Zezé – e reformularam a personagem, aumentando seu nome no cartaz. Zezé passou a cantar e a dançar na peça. O espetáculo passou a lotar a casa. Zezé, na época, já era cheia de fãs.

Em 1975, Zezé fez a novela "Duas Vidas", de Janete Clair, na Rede Globo, com direção de Daniel Filho. A protagonista era Betty Faria. Zezé interpretou Jandira. Na trama, havia a promessa de que a personagem se desenvolvesse, mas isso não aconteceu. No mesmo ano, ela foi fazer o filme "Cordão de Ouro", com direção de Antônio Carlos Fontoura. Nesse filme,

Zezé fazia uma mulher chiquérrima, Dandara, casada com um fazendeiro. Durante as filmagens ela teve um problema. A personagem tinha um jipe inglês, mas Zezé não sabia dirigir. Por causa disso, teve que aprender a dirigir em aulas intensivas. Só que essas aulas aconteciam num fusquinha, numa área interna. No dia das filmagens, que aconteciam no Jardim Botânico, ela ficou tão nervosa que não conseguia tirar o carro do lugar. Na confusão, escutou um figurante falar: "Gente, porque não chamaram uma atriz que soubesse dirigir?". Zezé ficou irritada com o comentário. Deu uma arrancada brusca, que quase atropelou o cameraman. Ficou tão traumatizada que não dirige até hoje.

Logo foi fazer um filme chamado "Tenda dos Prazeres", que depois teve que trocar o nome para "Ouro Sangrento", por causa da censura do governo militar dos anos 70. O filme foi para as telas só em 1978. Era dirigido por César Ladeira Filho. No elenco estavam Sandra Barsotti, Tony Tornado, Jonas Bloch e Grande Otelo. José Lewgoy fazia uma participação especial, como copeiro.

Tony Tornado fazia um empresário bem-sucedido, Sandra Barsotti fazia a secretária dele e Zezé era a copeira do escritório. Numa determinada cena, o diretor pediu que Zezé entrasse com um café para o chefe. Nesse dia, ele resolveu transar com a secretária, já que era caso dele. Quando Zezé entrou no escritório, ela o encontrou de toalha. Tony tomou um susto e deixou a toalha cair, ficando literalmente pelado. Zezé, que devia tomar um susto assim que entrava na sala, realmente se assustou – por motivos óbvios... Todos morreram de rir.

Em 1977, Zezé participou da peça "A Rainha Morta", com direção e produção de Luiz Carlos Ripper. Ela fazia uma feiticeira que se chamava Ba. E, claro, lá vem a distração da Zezé! Durante os ensaios o diretor disse: "Zezé, tem uma cena que você vai acender uma pólvora para um efeito especial, mas tem que saber que é uma cena feita milimetricamente". Pois bem, Zezé foi fazer a cena e sentiu cheiro forte de queimado. Suas mãos que estavam queimando. E como aprendeu que o show não pode parar, continuou a peça. No intervalo, a produção a socorreu. Todo trabalho acontecia alguma coisa com Zezé por causa de suas distrações. Só em "Xica da Silva", que ela não teve culpa do barco virar.

Quem fazia a Rainha de Portugal era Rosita Tomás Lopes. Jorge Gomes era Dom Pedro. Renato Coutinho era o Rei de Portugal. Elke Maravilha fazia as personagens Iaiá e Inês de Castro. Por falar em Elke, a saudosa atriz foi sua vizinha no Leme. Zezé sempre achou que quando virasse vizinha da Elke, elas iriam virar comadre, tomar chá à tarde, papear, fofocar. Mas Zezé nunca a encontrou.

Nesse mesmo ano fez a peça "1888 – A causa da liberdade", escrita por Domingos de Oliveira, com direção de Anselmo Vasconcellos. No elenco, Zezé se recorda de Nelson Dantas, Antônio Pompeo, Pascoal Villaboim e Elisa Lucinda.

"Tudo bem" foi um filme importante na vida de Zezé. Com direção de Arnaldo Jabor, que também assinou o roteiro. A história foi criada durante a reforma do seu apartamento. O filme é uma obra-prima, como Zezé mesma diz. Ele se passa dentro de um apartamento durante uma obra de reforma. Foi todo filmado num apartamento em Copacabana, de uma família de classe média, cujo chefe da família era Paulo Gracindo, interpretando Juarez. Ele era casado com a Elvira, papel feito pela Fernanda Montenegro. E ainda tinham os filhos, Zé Roberto, feito pelo Luiz Fernando Guimarães e Vera Lucia, interpretada por Regina Casé. A personagem de Zezé também se chamava Zezé. Era empregada da casa de dia e, à noite, era prostituta. Tinha outra empregada, Fátima, interpretada por Maria Silvia. Fátima era uma mulher mística, daquelas bem fanáticas.

Os pedreiros vão fazer a obra do apartamento, que não acaba nunca. Um dia, um dos pedreiros é despejado de casa e chega com toda a família, de mala e cuia, no apartamento em reforma. De repente, todos os operários também começaram a morar no lugar com suas famílias.

Existe uma cena antológica nesse filme, quando Fernanda Montenegro passa pelos operários e eles estão almoçando galinha, arroz e feijão, na quentinha. Ela para, bate um papo com eles. Ela se fazia de religiosa, só que era tudo da boca para fora. Aí ela solta o seguinte comentário: "Uma comidinha assim, tão trivial... ovo, arroz e feijão... Às vezes é melhor do que uma comida complicada de restaurante metido a grã-fino". Depois desse discurso, senta-se e come filé mignon.

Teve uma fase da vida em que Zezé aparecia nua em tudo que é filme. Seu compadre Nelson Motta dizia que os diretores não mandavam ela tirar a roupa, batiam claquete e ela já tirava. E nesse filme, tem uma cena em que está nua e vai se vestindo.

Depois de Xica, muita gente cobrava a atriz. "E agora, o que você vai fazer?" Bem, Zezé queria cantar, mas não tinha repertório ou empresário. Guilherme Araújo, um grande empresário que cuidava das carreiras de Caetano, Bethânia, Ney e Gal leu isso no jornal e lhe procurou. Em 1977, ele disse que gostaria de lhe empresariar. Zezé topou, claro.

Para lançá-la como cantora, Araújo promoveu o primeiro show seu no MAM (Museu de Arte Moderna). A produção chamava "Zezé Motta e Grupo Mar Revolto", que Guilherme havia buscado na Bahia. O Mar Revolto era composto por Otávio Américo no baixo, Geraldo Benjamin e Luiz Brasil nas guitarras, Raul Santos na Bateria e Jorge Vicente na percussão. Zezé ainda não tinha disco gravado, era só para ser um show, mas acabou sendo um sucesso tão grande que a atriz-cantora foi fazer uma temporada no Teatro Ipanema. Para se ter uma ideia,

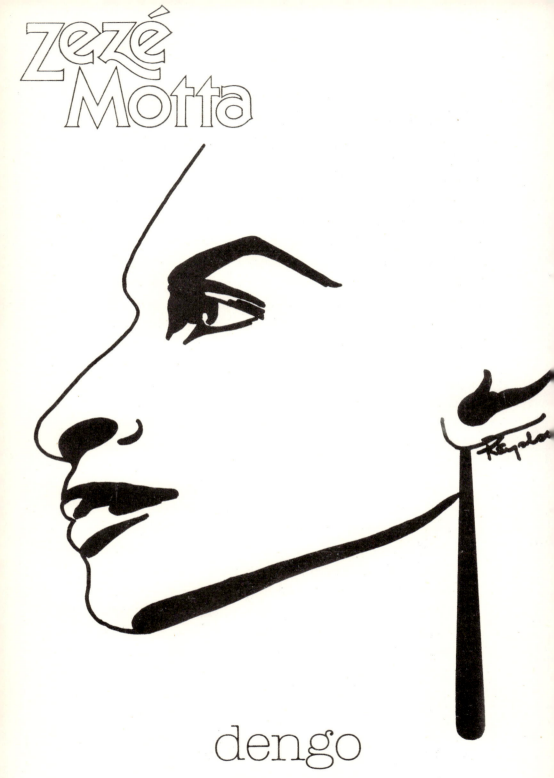

Desenho e arte do LP "Dengo", 1980.

eram de início quatro apresentações no MAM, que passaram para 15, fazendo depois ótima temporada em Ipanema, com matérias maravilhosas nos jornais. Nelsinho Motta escreveu uma crítica maravilhosa que discute a interpretação de música por música, inclusive com a opinião de dona Fernanda Giannetti, que foi professora de voz da artista e de grandes estrelas da música na época.

Era um momento em que artistas viviam em tribo. Eram tribos de compositores, dos cineastas, dos atores, dos cantores. Num encontro com Guilherme Araújo, Zezé disse: "Quero gravar um disco, mas não conheço compositores". Guilherme falou que isso não era um problema. Fez um jantar histórico na sua casa com a presença de Rita Lee, Caetano Veloso, Gilberto Gil, Moraes Moreira, Luiz Melodia... E todas as pessoas que foram ao jantar lhe mandaram composições. Rita Lee fez com Roberto de Carvalho "Muito prazer, Zezé", que veio a ser a primeira faixa do seu disco. Por causa do seu sucesso no show e a grande influência de Araújo, ela gravou o disco "Zezé Motta", em 1978, originário do show de mesmo nome.

Ela colocou seu lado atriz para interpretar as canções e isso dava grande dramaticidade aos números. Foi um LP bem eclético, tinha chorinho, pop/romântico, música afro-brasileira, até funk. Na capa, em cima dos seus seios, havia umas folhas que a censura mandou colocar, mas dentro do LP ela aparecia numa foto quase nua. Para Zezé, a gravação desse LP foi uma grande experiência. Ela considera esse disco o seu grande batismo como cantora. Choveram gravadoras, mas ela acabou fechando com a Warner Music, onde gravou quatro LPs. Daí em diante, sua carreira como cantora começou a deslanchar.

Muito prazer, Zezé

Muito prazer, eu sou Zezé
Mas você pode me chamar como quiser
Eu tenho fama de ser maluquete
Ninguém me engana, nem joga confete

Muito prazer, eu sou Zezé
Uma rainha, uma escrava, uma mulher
Uma mistura de raça e cor
Uma vida dura, mas cheia de sabor

E pra quem gosta de amor e segredo
Eu sou um prato cheio
Eu quero dar uma colher, pois é
Eu sou Zezé da terra do sol
Da lua de mel
Da cor do café

"Oi, eu sou Zezé
Tem gente que me chama de Xica
Outros de Zezé
Mas pode me chamar como quiser... "
Muito prazer, eu sou Zezé
Mas você pode me chamar como quiser
Eu tenho fama de ser maluquete
Ninguém me engana, nem joga confete

Muito prazer, eu sou Zezé
Uma rainha, uma escrava, uma mulher
Uma mistura de raça e cor
Uma vida dura mas cheia de sabor

É que hoje em dia estou mais atrevida
Muito mais sabida
Se não gostar eu dou no pé, pois é
Eu sou Zezé da terra do sol
Da lua de mel
Da cor do café

Rita Lee e Roberto de Carvalho

Ilustração Adinkra *Nkyimkyim* que significada contorções, resistência, adaptabilidade, devoção ao serviço e capacidade de suportar dificuldades. Mudar-se; desempenhar vários papéis.

Durante o ensaio do show "Muito Prazer, Zezé", 1976.

Ainda em 1978, o diretor Daniel Filho a convidou para fazer a abertura do piloto do seriado "Ciranda Cirandinha", na Globo, que tinha o título de "Os jardins suspensos da Babilônia". Zezé não só fez o trabalho como cantou "Postal de Amor" na abertura, a música que lembrava a tia Elza.

Para esse número musical, ela combinava com a banda de fazer 16 compassos e terminar no refrão. E, enquanto Zezé fazia o refrão, ela ia desfazendo a maquiagem e ficava com a cara toda borrada. Ela realmente parecia uma mulher louca, descontrolada. Zezé literalmente saiu do ar! De repente, voltou a si e percebeu que tinha alguma coisa errada. Ela olhou para os músicos, que estavam de olhos arregalados, em pânico. A plateia estava hipnotizada. Intuitivamente, veio em sua cabeça um ensinamento da época do Tablado. Sempre que o artista perde o prumo ou enlouquece em cena, deve tentar fazer uma respiração de Ioga para voltar ao planeta Terra. Foi o que ela fez. E deu certo. Ela continuou cantando, respirando e aos poucos ficou mais calma.

Curso de Cultura Negra: Lélia Gonzales e o Candomblé

A QUESTÃO DA RELIGIÃO SEMPRE SEGUIU ZEZÉ. A MÃE frequentava a Umbanda quando ela era pequena. Mas Zezé sempre escutava que o correto era ser católico e que Umbanda e Candomblé eram coisas que não pertenciam a Deus, coisa de gente atrasada e ignorante. O fato de sua mãe frequentar a Umbanda a incomodava bastante. Ela ficava constrangida e preferia não falar sobre o assunto.

Passado alguns anos, Zezé foi levada por Lélia Gonzales para conhecer o Candomblé, num curso de Cultura Negra. Lélia era professora universitária e antropóloga, tinha uma cultura incrível. Foi pioneira do movimento negro no Brasil. No curso, era praxe levar alunos para assistirem rituais de Candomblé.

Zezé morria de medo, achava que ia incorporar. Sempre evitava, mas criou coragem e foi. Chegando ao lugar, presenciou uma festa para Oxum, que é seu orixá, Oxum Apará. Isso deu um clique em Zezé. Ela percebeu que a verdade não estava com a igreja católica ou qualquer outra religião. A verdade está por aí, não importando a religião. "A verdade está com Deus", diz Zezé.

Ela não se converteu ao Candomblé, e, eventualmente, participava de cultos quando ia à Bahia costumava ir ao axé de mãe Stella de Oxossi.

Segundo LP, em 1979

ZEZÉ FAZIA MUITO SUCESSO EM SEUS SHOWS, MAS A Warner esperava mais em relação às vendagens do disco. Os diretores da indústria achavam que o repertório não era vendável e pediram para ela gravar um LP só de sambas. Mas ela não se empolgou, pois sonhava em gravar compositores como Milton Nascimento, por exemplo. Eles insistiram tanto, que ela acabou gravando, um pouco contrariada. Percebeu que queriam lhe rotular: "É negra, tem que cantar samba".

Ela estava no auge da militância e acabou criando essa resistência. Não tinha nada contra o samba, só não queria o rótulo. O LP de samba foi produzido em 1979 por João de Aquino e se chamava "Negritude". Fez um sucesso estrondoso por conta da música "Senhora Liberdade", de Wilson Moreira e Ney Lopes. De tudo o que Zezé gravou, foi uma das músicas que mais tocou no rádio. Tem uma faixa, "Cana Caiana", com letra de Maria Bethânia e Rosinha de Valença, falando das origens de Zezé. Ela fazia um rebolado malicioso para cantar a música. Um dia, sua mãe perguntou: "De quem é essa música?" Zezé respondeu: "Maria Bethânia e Rosinha de Valença". A mãe falou: "Elas tinham que ter feito era para mim. Quem brincou nos canaviais fui eu". Para Zezé foi uma surpresa. Ela não sabia do fato.

A música "Boca de Sapo", de João Bosco e Aldir Blanc, foi pensada para Clementina de Jesus cantar. Fazia parte do repertório de "Negritude" e Zezé a cantou em homenagem à Clementina, fazendo um registro de voz mais grave. Essa música, além de ter sido gravada por Clementina, foi registrada por João Bosco e Zeca Pagodinho.

"Dengo" foi o terceiro LP, produzido por Perinho Albuquerque, em 1980. Trazia "Bola de Meia, Bola de Gude", de Milton Nascimento e Fernando Brant; "Fez Bobagem", de Assis Valente, sugestão de Bethânia; e duas músicas inéditas do Gilberto Gil, "Poço Fundo" e "Feiticeira". Trazia, ainda, "Sete Faces", de Gonzaguinha; "Oxum", de Johnny Alf; "O dengo que a Nega tem", de Caymmi; e "Sem Essa", de Jards Macalé e Duda Joanna.

Zezé compôs uma música para o LP, "Cais Escuro", junto de Paulo César Feital. O Disco não aconteceu. Depois desse trabalho, ela foi dispensada da Warner. Em 1984, pela gravadora Pointer, do Machline, fez "Frágil Força", seu quarto disco solo, produzido por Elodi com participações do Grupo Água Marinha e de Don Beto. Tinha um grupo de compositores de primeira... Tom Jobim, Paulo César Pinheiro, Moraes Moreira, Paulinho Rezende e Luiz Melodia, autor da canção que batizou o disco.

Depois desse LP, Zezé só voltou a gravar dez anos mais tarde. Ficou muito tempo sem lançar LP, mas nunca ficou sem cantar. Zezé faz um show que é um mix do seu trabalho musical. Sempre faz apresentações paralelamente ao teatro e às novelas. Ela nunca teve carreira regular em discos, mas os shows... nunca parou de fazê-los.

Zezé fez bons shows pelo Projeto Pixinguinha, criado para difundir a MPB pelo Brasil. Hermínio Belo de Carvalho criou o projeto em 1977 em parceria com a Funarte e as Secretarias de Cultura municipais e estaduais. Zezé participou de dois espetáculos, um deles com Johnny Alf e o outro com Marina Lima e Luiz Melodia, em que os três cantavam juntos "Mania de Você", de Rita Lee.

Zezé e Marina levavam o público ao delírio ao darem um selinho durante o show. E os artistas viajaram para muitos lugares do país. Em Salvador foi um sucesso, no Teatro Castro Alves. Tanto sucesso que tiveram que fazer sessão extra. E olha que o Castro Alves é enorme.

Zezé ganhou de presente um vestido do estilista Marquito para a estreia do show no MAM. O produtor de moda Carlos Prieto o achou muito sério, colocou cola no tecido, jogou purpurina de todas as cores e deu um *up* no astral da roupa. Só que Zezé tem um ombro mais baixo que o outro e eles não lembraram do detalhe. Como a peça era de malha, quando Zezé começou a dançar, o vestido caiu e ela ficou com os seios completamente de fora. Porém, incorporou o erro, como tinha aprendido em suas aulas no Tablado e com José Celso Martinez, e continuou o show daquele jeito mesmo.

Pouco mais tarde, Zezé faria um show chamado "Muito prazer, Zezé", em referência à música que Rita Lee e Roberto de Carvalho fizeram especialmente para o disco da atriz-cantora. A produção lhe enviou uma lista com quatro nomes com quem Zezé gostaria de viajar. Nessa lista estava Clementina de Jesus. Na mesma hora, Zezé se animou, já que era sua fã. Clementina fez a seguinte pergunta ao produtor: "Zezé Motta não é aquela mulher que canta com os peitos de fora?" O produtor lhe explicou que tinha sido um acidente, que não foi intencional. Clementina respondeu: "Não vai dar, filho! Se o falecido estivesse vivo, não ia deixar eu cantar com uma cantora que canta quase pelada. E o falecido falou para mim, que, se um dia, eu fizesse alguma coisa que o contrariasse depois da sua morte, ele viria puxar as minhas pernas. E o falecido era um homem de palavra!" Ela não aceitou o convite, Zezé acabou cantando com Johnny Alf e foi um grande sucesso.

Depois, Zezé teve outra experiência com Clementina, uma pessoa muito pura. Ela estava sendo homenageada no Teatro Municipal do Rio de Janeiro e Zezé era a apresentadora. Quando a chamou no palco, já com problemas de saúde, Clementina entrou empurrada numa cadeira de rodas pelo seu neto. Alguém fez um discurso e passou o microfone para Clementina, que começou um discurso também, dizendo que era um privilégio estar sendo homenageada. De repente, virou-se para trás e perguntou ao neto: "Isso é um evento, né, meu filho?". O neto fez uma menção com a cabeça dizendo que sim, e Clementina continuou o discurso. Zezé ouviu aquilo e deu boas gargalhadas. Foi um momento especial para ela.

Essa coisa de compor não é para toda hora. Às vezes bate aquela inspiração e Zezé escreve uma música. Já arriscou algumas parcerias... "Cais escuro", fez com Feital; "Ousadia", com Irinéa Maria, gravada aliás de forma luxuosa por Cauby Peixoto. Zezé também fez com Marina Lima "Quero, porque quero", além de uma letra com seu amigo Luiz Antônio Carvalho para uma melodia de Luiz Bonfá, que fez parte da trilha do filme "O Prisioneiro do Rio", sobre a vida de Ronald Biggs, em 1988.

Zezé foi a Cuba, participando do Festival Carifesta, o Caribbean Festival of Arts, evento internacional que acontece periodicamente nos países do Caribe, a convite de Chico Buarque. A ideia do evento era reunir artistas e autores em torno do folclore do Caribe e da América Latina. Em Cuba, a festa celebrou o aniversário da revolução, num evento gigantesco que durou uma semana e teve a participação de muitos artistas brasileiros. Estavam lá Zezé, Simone, Chico Buarque, entre outros. Zezé cantou sua própria composição.

Em 1983, Zezé fez o filme "Para Viver um Grande Amor", com roteiro de Miguel Faria Jr. e Chico Buarque e direção do próprio Faria Jr. Sua personagem se chamava Maria Moita.

O filme foi inspirado no musical "Pobre Menina Rica", de Carlos Lyra e Vinicius de Morais. A história é a seguinte: o Rio de Janeiro começa a ser abandonado pelos ricos e os pobres se apossam dos seus apartamentos. Numa dessas posses, acontece uma paixão entre um compositor pobre, interpretado por Djavan, e uma jovem rica, Patrícia Pillar. O filme tinha no elenco Paulo Goulart, Glória Menezes, Nelson Xavier, Oswaldo Loureiro... um filme divertido, gostoso de se fazer.

Logo em seguida, em 1984, ela fez uma participação na novela "Transas e Caretas", da Globo, de Lauro César Muniz, como a divertida Dorinha. Essa personagem era uma mulher exuberante, cheia de vida e mucama de Jordão, interpretado por Reginaldo Faria, com quem tinha um caso. Adorava uma escola de samba e participava de festas na casa de Tiago, interpretado por José Wilker. Um belo dia, Tiago precisou de uma diarista e Dorinha foi trabalhar com ele lá e acabou virando seu caso. Ela manteve caso com os dois irmãos.

"Corpo a Corpo", também de 1984, de Gilberto Braga, foi uma novela importante para a teledramaturgia, para Zezé e para a população brasileira, pois discutia a ascensão da mulher e falava de racismo e de homossexualidade através do personagem de Caíque Ferreira. Mas parte da trama foi vetada pela censura e pela própria emissora, que ficou com medo de discutir esse assunto.

A trama acabou falando da questão do racismo, fato até então discutido apenas por pesquisadores e em recintos fechados. De repente, o tema estava numa grande emissora e em horário nobre, por meio de uma família multirracial. Houve um tempo na dramaturgia em que personagens negros não tinham pai nem filhos, não tinham nada e muito menos cenário. Viviam a reboque dos personagens brancos. Nessa novela, Zezé tinha uma família, a mãe era Ruth de Souza e o pai Waldyr Onofre. No começo, ela tinha um noivo negro, interpretado por Sérgio Maia. No meio da novela, começava a namorar o personagem de Marcos Paulo. O fato causou polêmica na mídia e nos lares brasileiros. Os atores e a equipe envolvidos ouviam depoimentos chocantes, depois de uma pesquisa feita com telespectadores que participavam dos grupos de discussão da novela. Numa dessas, alguém disse: "Não acredito que Marcos Paulo esteja

Cenas do filme "Quilombo", em que Zezé deu vida à personagem Dandara.

precisando tanto de dinheiro a ponto de se humilhar e ter que beijar essa negra horrorosa. Se a Globo me obrigasse a beijar essa mulher, eu lavava minha boca com água sanitária quando chegasse em casa".

A discussão foi tão séria que uma empregada doméstica nordestina disse que mudava de canal quando via Marcos Paulo com Zezé em cena, porque não podia acreditar que um homem lindo como ele pudesse se interessar por um mulher feia como ela.

Numa das cenas, uma empregada doméstica se recusava a servir a mesa enquanto a personagem de Zezé era apresentada à família do rapaz. Tal cena foi baseada em fatos reais. Esse caso aconteceu realmente na casa de Gilberto Braga, quando ele convidou Condessa Luana, sua amiga, para jantar em sua casa. Ele passou dias avisando: "Capricha no banquete, que a condessa vai chegar, quero as pratarias brilhando". A empregada criou uma expectativa, talvez achando que ia se deparar com uma mulher nórdica. De repente, chega uma negra linda. Quando se deparou com ela, recusou-se a servir a mesa.

As repercussões foram um choque para Zezé. Ela não imaginava que o racismo ainda fosse tão violento no Brasil. A emissora nunca chegou a reprisar a novela como fazia com tantas outras, Zezé acredita que para não criar mais polêmicas sobre o racismo.

Ela ficou triste com todos os comentários que ouviu, mas Lélia Gonzalez deu-lhe um puxão de orelha. "Você não tem que sofrer com esses comentários. Bancar a vítima, reclamando o tempo todo. Isso é chato, contraproducente. Chega de lamúrias. Tem que erguer a cabeça e virar o jogo".

Zezé havia gostado de interpretar Dandara no filme "Quilombo", de Cacá Diegues, em 1984. Quando ele a convidou, ela perguntou: "Você tem certeza que esse papel é para mim? Essa mulher não sorri nunca". Cacá respondeu: "Eu sei o que estou fazendo, você vai fazer muito bem!" Zezé adorou a experiência de fazer uma mulher obcecada pela luta por liberdade, alguém muito séria, ao lado de Zumbi, interpretado por Antônio Pompeo.

Os fotógrafos do filme pediam, durante as filmagens: "E aquele sorriso, Zezé?" Ela falava: "Quero ser Dandara, uma mulher séria, e vocês não deixam".

O filme levou Zezé ao Festival de Cinema de Cannes, na França, pois foi indicado à Palma de Ouro. Uma das maiores emoções que Zezé teve na vida foi na sessão de gala para convidados. O filme foi ovacionado. Toda equipe e elenco saíram chorando. "Quilombo" foi premiado no XXIV Festival de Cinema de Cartagena, na Colômbia, e ainda no Festival de Cinema de Miami.

Depois, no mesmo ano, Zezé fez "Águia na Cabeça", de Paulo Thiago, em que defendia Maria das Graças, a Gracinha. Desde adolescente, Zezé era apaixonada pelo ator Jece Valadão e acabou contracenando com ele como sua amante. O filme conta a história de um senador que lida com jogos proibidos e é assassinado pelo seu homem de confiança, seu braço direito, que queria tomar o seu lugar. O longa foi indicado como melhor filme no Festival de Gramado, em 1984.

Zezé ainda fez "El Mestizo", com direção de Mário Handler, em que interpretava Cruz Guaregua, uma pescadora muito sofrida. Um dia, o chefão da cidade exigiu que ela se tornasse sua esposa. Ela obedeceu e acabou tendo um filho com ele. Só que não aguentava mais transar forçada com o marido e resolveu espalhar pela cidade que estava transando com todo mundo, inclusive com presidiários, para poder se livrar do carrasco. Ele ficou com ódio e num belo dia pegou a criança nos braços e disse: "Você não é digna desse filho". E levou a criança embora. Um dramalhão que ficou na cabeça de Zezé. Ela nunca mais esqueceu da cena em que perdia o filho.

O filme todo era um grande drama e foi muito difícil para ela fazê-lo. Zezé teve medo de canastrar. A cena em que perdia o filho foi repetida várias vezes, a noite inteira, deixando a atriz exausta. Daí ela percebeu a importância de se preparar para fazer uma personagem. Quando acabou a filmagem, Zezé sentou numa cabana, largada. O ator que fazia o carrasco, que lhe torturava, perguntou se ela já tinha trocado a roupa para a próxima cena. Disse que não. Iria descansar antes de se trocar. Zezé ficou irritada com a pergunta. Na cena seguinte, avançou no pescoço do ator. Uma atriz chilena espírita sacou que Zezé realmente tinha incorporado Cruz Guaregua. Jogou-lhe água no corpo e começou a benzer a atriz até que ela voltasse a si.

O filme foi rodado na Venezuela e Zezé teve que representar em castelhano, mas ela acabou sendo dublada, pois não tinha sotaque de lugar nenhum.

O diretor do filme sempre sonhara em trabalhar com Zezé. Ele lembrou dela como Xica e telefonou para Cacá Diegues para pedir seu contato.

Após "El Mestizo", emendou com o longa "Anjos da Noite", dirigido por Wilson Barros e protagonizado por Marília Pêra. Zezé fazia Malu. O filme mostra um painel da noite paulistana em que se misturam bandidos, travestis, prostitutas e michês. Um filme que trata da solidão.

Estava um frio horrível em São Paulo e Zezé tinha uma cena com Antônio Fagundes à meia-noite, no restaurante do Terraço Itália. Para se aquecer, enquanto não começava a filmar, ela resolveu beber um saquê que tinham lhe oferecido.

A cena demorou para ser gravada e Zezé continuou bebendo saquê. Na hora de filmar, não tinha condições de fazer a cena. Estava para lá de Bagdá. Toda a equipe morreu de rir e todos foram dispensados.

Poder ao artista negro

ZEZÉ NÃO TINHA NADA CONTRA FAZER EMPREGADAS domésticas em novelas. A partir de um tempo, percebeu que era trabalho de ator como qualquer outro. Digno do mesmo jeito. O que a incomodava era ganhar uma bolsa de teatro, ter estudado com Maria Clara Machado e depois entrar na novela pra servir cafezinho e dizer "sim senhor, sim senhora". Ela rezava e pedia que viesse uma luz para ajudar a mudar a situação do artista negro no Brasil. Quando fez Xica, deu muitas entrevistas e percebeu que não estava preparada para falar do negro da sociedade brasileira. Faziam muitas perguntas sobre a questão racial, mas ela não tinha um discurso articulado. Zezé então começou a se inteirar sobre tudo que envolvia o universo do negro. Pesquisou, estudou e passou a ter o seu discurso.

Havia poucos atores negros trabalhando com destaque na mídia. Além dela, Ruth de Souza, Léa Garcia, Chica Xavier, Pitanga, Zózimo, Pompeo. Isso passou a lhe incomodar. Ela então começou a cobrar dos diretores e produtores um maior número de artistas negros nas tramas. Respondiam-lhe a mesma coisa, sempre: "Vocês são os únicos famosos". Na verdade, eles eram os únicos que tinham oportunidade. O resto não tinha. Grandes atores negros estavam sendo desperdiçados, sem trabalhar. Maurício Sherman disse certa vez que criaria um projeto só com negros, caso Zezé os apresentassem. Deu uma louca em Zezé. Em vez de ela reclamar, criou um *book* só de artistas negros. A todos que ela cruzava, pedia currículo e fotos. Assim surgiu o Cidan, que significa Centro de Informação e Documentação do Artista Negro.

Na época, ela era casada com o Jacques d'Adesky, pesquisador afro-belga e professor universitário, que a ajudou a organizar o arquivo. Os dois não só listaram artistas, mas também contrataram psicólogos e advogados. Zezé conseguiu um patrocínio da Fundação Ford para montar um catálogo bem completo, que tinha desde famoso, como Grande Othelo, até atores mais jovens. O grupo teve a parceria e a força de Antônio Pitanga, Léa Garcia, Iléa Ferraz, Luiz Antonio Pilar, Antônio Pompeo, Cacá Diegues e de muito outros artistas. Montaram um material em forma de slides. Quando um autor ou diretor estava procurando um negro, recorria a Zezé.

Na época em que estudava no colégio interno, ela pensava em pegar crianças de famílias de baixa renda para ajudá-las, mas isso nunca se concretizou. Ela sempre sonhou em fazer trabalho social. Outra coisa que pensou fazer foi criar um sindicato para as empregadas domésticas, pois, desde muito cedo, percebeu que a classe era desprotegida perante a lei. Acabou não dando certo, mas o desejo de fazer trabalho social permaneceu em sua cabeça. Quando se formou em Arte Dramática, também percebeu que a classe artística era totalmente desprotegida. Zezé descobriu que fazer arte no Brasil era difícil. Para negros, então, nem se fale.

Quando as coisas começaram a dar certo em sua vida artística, viajando mundo afora, ela percebeu que não seria só glamour, mas haveria dificuldades também. Logo que chegou de uma das viagens, procurou emprego na TV Tupi, onde já havia feito "Beto Rockfeller". Ela lembra de uma colega falando: "Fica tranquila, você vai conseguir. Está começando a produção de duas novelas e provavelmente devem precisar de uma empregada doméstica". Zezé achou estranho o comentário da colega, mas foi o que aconteceu. Ela foi a duas entrevistas para duas novelas que iam começar e o produtor falou: "Puxa, você chegou tarde, os papéis de empregadas já estão preenchidos". Comentários assim preocupavam Zezé, embora as coisas dela continuassem andando. Ela fazia trabalhos, ia tocando o barco. Não tinha problemas em fazer empregadas, o que incomodava era só fazer empregadas. E ela fez muitas. Daí em diante começou a se preocupar mais ainda com a questão do ator negro.

Quando veio o sucesso de Xica, assim que voltou ao Brasil, depois de viajar por 16 países divulgando o filme, concedia pelo menos três entrevistas por dia. Zezé sentia cobrança da imprensa. Nas entrevistas, havia perguntas do tipo: "E agora, você... uma protagonista negra, o que tem pela frente?"

Cuidar do artista negro, para Zezé, sempre foi uma meta. Houve um dia em que Zezé conseguiu fazer seu primeiro trabalho social para o artista negro. Foi com o curso A Arte de Representar Dignidade, assunto que muito a emociona. Esse curso surgiu depois que já estava rolando o Cidan. Zezé tinha o seguinte pensamento: "Assim como eu, que ganhei uma bolsa pra estudar teatro no Tablado, tive a oportunidade; se não tivesse tido, talvez hoje eu não estivesse atuando. Quantos meninos e meninas adolescentes têm talento por aí, mas têm baixa renda ou renda nenhuma e acabam sendo desperdiçados?"

A atriz ficou com isso na cabeça, até que lembrou de uma amiga que fazia um trabalho com jovens adolescentes voltado para o mercado de cabeleireiros. Zezé foi convidada a ser madrinha da primeira turma, e no dia da formatura ela não os reconhecera. Eles estavam muito bem vestidos, produzidos e maquiados, com brilho no olhar e alegria contagiantes. Ela ficou procurando os alunos, mas eles estavam a sua volta. Não eram mais os mesmos, que entravam no salão de cabeça baixa, que mal a cumprimentavam. Ela se empolgou tanto que decidiu fazer algo naqueles moldes, mas no teatro.

Tocou o projeto, que recebeu patrocínio da Sociedade Solidária, da dona Ruth Cardoso. Procurou dona Ruth e passou por algumas entrevistas. Numa delas, algo curioso aconteceu. Uma das assessoras de dona Ruth falou: "Andei lendo uma das suas entrevistas e você falou que fazer arte no Brasil é muito difícil. Para o negro é ainda mais complicado. Você está querendo arranjar um problema para essas crianças?" Com a maior calma, ela respondeu que era difícil sim, mas alguém tinha que fazer algo.

Zezé passou na entrevista com seu argumento. Com o projeto aprovado, reuniu um grupo de atores, que fazia parte do Movimento Negro Unificado, contra a discriminação racial, só que o curso A Arte de Representar Dignidade não era apenas voltado aos negros, mas incluía pessoas de baixa renda.

O curso voltou-se então para as comunidades carentes. No primeiro ano, aconteceu na Universidade Estadual do Rio de Janeiro, a UERJ, assim como nos três seguintes. Fazia muito bem aos meninos. Eles desciam do Morro dos Macacos, do Morro do Andaraí e do Morro da Mangueira e já estavam na UERJ.

Eles faziam entrevistas e passavam por teste de vocação. O filho de um bicheiro explicou que não queria seguir a carreira do pai. A demanda era grande.

Depois da UERJ, o curso foi para a Gamboa, no Centro Cultural José Bonifácio. Passou pelo Cantagalo e pelo Pavão-Pavãozinho. Saiu de lá quando foi instalado no local o Criança-Esperança, um megaprojeto que precisava de espaço. E, por fim, foi para a Cruzada São Sebastião, no Leblon.

A grade de aulas era super completa, inspirada na grade da prestigiosa Casa das Artes de Laranjeiras, do Cosme Velho. Havia aulas de interpretação, improvisação, canto, dança, música, aulas de percussão, voz, corpo, cenografia, figurino, maquiagem, literatura dramática, filosofia etc. Todos sabiam que nem todo mundo sairia ator, até porque no decorrer do curso muitos se identificavam com outras áreas. Mas, os alunos conseguiam ingressos para assistir às peças em cartaz, irem a museus, balés, concertos. Zezé fez exatamente o que fizeram com ela na juventude.

Maurício Gonçalves, ator e filho do ator Milton Gonçalves, dava aulas de Literatura Dramática, ajudava os alunos no entendimento dos textos e os incentivava às leituras. Havia experiências incríveis. Um dia, por exemplo, um grupo foi ao cinema e um aluno ficou parado na porta, aos prantos. Ele estava emocionado, nunca tinha ido ao cinema. Outro, dormia em todas as aulas. Um psicóloga foi enviada então a sua casa, para investigar com a família, para se saber por que ele tinha tanto sono e não era muito asseado.

A psicóloga descobriu que era um garoto hiperativo e que a mãe colocava tarja preta no seu suco. Ela deu uma dura na mãe. Um dia, ele deu um beijo em Zezé e comentou que tinha achado a colônia que ela usava muito cheirosa. Zezé, então, prometeu que, se ele tomasse banho, daria um perfume de presente. Finalmente, o garoto passou a ir ao curso de banho tomado.

Muitos seguiram outras carreiras. Alguns foram para a música, outros foram fazer figurino. Um dos alunos foi estudar circo na Alemanha. Depois um deles interpretou o artista visual Bispo do Rosário no teatro.

Quando ela foi assistir ao filme "Cidade de Deus", cismou que conhecia o protagonista, mas não sabia de onde. Depois, descobriu que ele tinha sido seu aluno na primeira turma do curso.

A experiência terminou, pois o curso não teve mais patrocínio. Aconteceu durante o governo de Fernando Henrique Cardoso e, depois, quando Matilde Ribeiro foi ministra. Foi o último ano do curso na Cruzada São Sebastião. Por incrível que pareça, desde que o PT entrou no governo nunca mais se conseguiu patrocínio para esse trabalho.

O curso contava com o apoio de dona Ruth Cardoso através da Comunidade Solidária, programa do governo federal brasileiro, criado em 1995. Esse programa era vinculado diretamente à Casa Civil da Presidência da República, presidido pela primeira-dama do país, dona Ruth.

O Comunidade Solidária fazia parte da Rede de Proteção Social e ele foi encerrado em 2002, substituído pelo Fome Zero.

"Dona Ruth sempre nos apoiou incondicionalmente. Quando o PT chegou ao poder, fui obrigada a encerrar o curso, por absoluta falta de apoio. Fato realmente lamentável", disse Zezé numa entrevista à Folha de S.Paulo, em agosto de 2005.

Mesmo quem não se formou como ator ganhou de alguma forma, pois visitou vários projetos culturais e assistiu a vários espetáculos. Os alunos ganharam uma bagagem intelectual incrível, mudaram sua forma de pensar a vida, pois a arte sempre transforma.

Em 1986, Zezé fez "Jubiabá", filme baseado no romance homônimo de Jorge Amado, dirigido por Nelson Pereira dos Santos, em que ela fez apenas uma participação especial. No elenco estavam Betty Faria, Grande Otelo, Ruth de Souza, Jofre Soares e Eliana Pittman.

O trabalho foi filmado em Cachoeira, interior da Bahia, local com um grande número de terreiros, um ao lado do outro. O pessoal da equipe resolveu visitar os terreiros. Zezé estava toda pronta para ir quando lhe disseram: "Se baixar o santo, vai ter que ficar lá uma semana". Zezé ficou morrendo de medo... um medo que vinha da época do colégio. Depois de muita insistência de todos, ela foi, mas ficou tensa, pois sempre foi supersensível a tudo.

No ano seguinte, fez uma participação na novela "Helena", de Mário Prata, Dagomir Marquezi e Reinaldo Moraes, na extinta Rede Manchete. Era uma adaptação do romance homônimo de Machado de Assis. Foi dirigida por Luiz Fernando Carvalho e Denise Sarraceni, com supervisão de José Wilker.

Ela interpretou Malvina e teve o privilégio de trabalhar com Gianfrancesco Guarnieri. Sua personagem era casada com Walter Scott, personagem de Guarnieri.

ZEZÉ NO PROGRAMA DE TEVÊ "MULHER 80", DE TEMÁTICA FEMINISTA.

Um elenco brilhante, com Yara Amaral, Othon Bastos, Sergio Mamberti, Luciana Braga, Walter Foster, Eliane Giardini, Léa Garcia, Telma Reston, Aracy Balabanian e Buza Ferraz.

Em seguida, veio o filme "Natal da Portela", dirigido por Paulo César Saraceni. Baseado em fatos reais, contava a história do famoso bicheiro Natal, patrocinador da escola de samba Portela, de Madureira. Zezé fazia a personagem Maria Elisa e contracenava com Milton Gonçalves, o protagonista. No elenco também estavam Grande Otelo, Paulo César Pereio, Zezé Macedo, Jacqueline Laurence e Almir Guineto. Um filme bonito, porém não deslanchou.

Em 1988, vem o disco "Quarteto Negro", gravado com a clarineta e o sax de Paulo Moura, percussões de Djalma Correa e baixo e violão de Jorge Degas. Foi uma homenagem que a gravadora independente Kuarup resolveu fazer no Centenário da Abolição. Uma das sócias da Kuarup, Janine Houard, viu um especial feito para a França sobre a vida de Zezé, Paulo Moura, Gilberto Gil e Martinho da Vila e ficou encantada. O grupo foi chamado a se apresentar em Paris, no L'Olympe. Depois o grupo foi para Nova York. Mas houve um desentendimento entre Paulo Moura e Jorge Degas e o disco nunca foi lançado no Brasil. Só se acha na internet. É deslumbrante. Moderno e original, numa aproximação do samba com o afro-jazz, o Quarteto Negro permanece como um painel-síntese da música contemporânea do Brasil. Em Paris, o disco fez carreira. É importante registrar que nesse trabalho há uma composição de Zezé com Degas chamada "Semba".

Zezé participou da série Eclats Noirs du Samba, produzida no Brasil em 1987 pela TV francesa TF1, associada com o Centre National de la Cinematographie et du développement du Ministère des Affaires Étrangères, apresentada por Grande Otelo com a participação de grandes nomes da MPB. A direção ficou a cargo do consagrado diretor francês Hubert Niogret. A série destaca a importância da cultura negra na música brasileira. A renomada documentarista francesa Ariel de Bigault ficou encantada com a série.

Ainda no mesmo ano, Zezé participou do espetáculo "A Causa da Liberdade", musical com texto de Domingos de Oliveira e direção de Ancelmo Vasconcellos, que, infelizmente, não fez sucesso. Mas Zezé amou tê-lo feito.

Fez também o filme "Sonhos de Menina Moça", protagonizado por Tônia Carrero com direção de Tereza Trautman. A história se passa numa noite, portanto o elenco só filmava à noite. Zezé passou um mês trocando o dia pela noite. Interpretava uma mulher chique e solitária, todos só se aproximam dela por causa da cocaína. Ela passou o filme inteiro cheirando açúcar, para fingir que era cocaína. Ficava enjoada.

O filme foi indicado ao Kikito, em Gramado, na categoria de Melhor Filme. Louise Cardoso, que também era do elenco, recebeu o troféu APCA na categoria de Melhor Atriz Coadjuvante.

Artista popular já com carreira sólida, em 1989 Zezé foi tema-enredo da escola de samba Arrastão de Cascadura, no Rio de Janeiro. O enredo se chamava "Zezé, Um Canto de Amor à Raça", do carnavalesco João de Deus.

Zezé, Um Canto de Amor à Raça

Sou um pedacinho desta festa
E lá vou nesta folia
Peito aberto pra te decantar
Oh Zezé, tu és razão deste poema
Da nossa escola muito mais que tema
Tu és a própria arte viva no cordão
Quero é mais eternamente ver-te em cena
Nos palcos dos teatros desta vida
Negra pura, flor mulher
Sinto que o vento sopra um canto de amor
Hoje as raças se irmanam
Tudo se transforma neste show
É a dança, é a ginga
Deixa o corpo balançar
Este mar de alegria (Bis)
Faz a onda te levar
Emoldurei-te em pensamento
Bordei a tela no meu coração
Poxa, tu estavas tão bonita
Revivendo a Negra Xica, que fascinação
Anda que ainda é tempo
Tempo de mostrar bem mais
É a glória do artista
Mais que artista, um mito que não se desfaz
O talento corre os ares
Corre chão (Bis)

G.R.E.S. Arrastão de Cascadura

Ilustração Adinkra *Osram Ne Nsromma. Kyekye Pe Aware*. Significa a lua e a estrela. Símbolo da fidelidade, do amor, da harmonia, do carinho, da lealdade, da benevolência e da essência feminina da vida.

E Zezé nos braços da multidão

FOI UMA EMOÇÃO E TANTO PARA A ATRIZ. ALGUÉM teve a ideia de fazer uma ala de amigos. Marcos Palma, ex-marido de Zezé, sugeriu algo prático e simples... uma ala de amigos vestindo camisetas com o rosto de Zezé, bermuda e tênis. Mais de 200 pessoas saíram na avenida do samba com Zezé estampada no peito. Em 2017, foi homenageada novamente. Agora, pela Acadêmicos do Sossego, de Niterói.

No ano da primeira homenagem, ela fez a novela "Pacto de Sangue", na Globo, escrita por Regina Braga e dirigida por Herval Rossano. Nos papéis principais estavam Carlos Vereza, Carla Camurati, Edwin Luisi, Esther Góes, Marcelo Serrado, Rubens de Falco, Othon Bastos e Zezé, interpretando Maria.

Em seguida, fez "Kananga do Japão", na Rede Manchete, com direção de Carlos Magalhães e Tizuka Yamasaki. Cristiane Torloni e Raul Gazolla interpretavam os personagens principais, como Dora e Alex. Faziam parte do elenco Giuseppe Oristanio, Tônia Carrero, Cristiana Oliveira e Cláudio Marzo.

Em um ano, Zezé participava de quatro produções cinematográficas. "O prisioneiro do Rio", com direção de Lech Majewski, contava a história de Ronald Biggs, famoso por ter feito o mais célebre assalto ao trem pagador.

Em seguida, fez "Dias Melhores Virão", de Cacá Diegues, em que interpretava uma dubladora solteirona e triste. Sua personagem se chamava Dalila e era a melhor amiga da Maryalva, personagem da Marília Pêra, que também era dubladora e sonhava ser uma estrela de Hollywood. Também faziam parte do elenco o ator Paulo José e a cantora Rita Lee. A trama abordava o universo do artista. Uma comédia deliciosa. A personagem representava o fim de uma série de personagens extrovertidas. Tratava-se de um papel mais sério, introspectivo. Um ótimo exercício para Zezé como atriz.

Logo depois fez "O Gato de Botas Extraterrestre", com direção de Wilson Rodrigues. E emendou em "A Serpente", com direção de Alberto Magno, em que interpretava a personagem da serpente. Ela passou por uma experiência interessante, foi treinada para viver uma serpente. Fez aulas com o papa da expressão corporal, Klaus Vianna. A produção encomendou uma malha tipo meia arrastão, super justa. Carlos Prieto pintou-a inteira e ela se transformou numa cobra. Monique Lafond era a estrela do filme.

O diretor, Magno, é filho de Jece Valadão. Aconteceu algo curioso nessa filmagem. A personagem de Zezé, uma empregada doméstica que virava serpente, tinha um caso com o patrão, vivido por Marco Nanini. Havia uma cena em que ela tinha que ficar em volta de uma imagem de Cristo, falando mil palavrões para o personagem de Nanini. Zezé, porém, ficou incomodada em falar tantos palavrões e pediu para Alberto Magno que a cena fosse tirada. Magno, que era também neto de Nelson Rodrigues, alegou que não podia cortar. Alegou que, sendo neto do seu avô, que como todos sabem era boca suja (além de genial!), não podia fazer aquilo. Zezé filmou incrivelmente bem a cena.

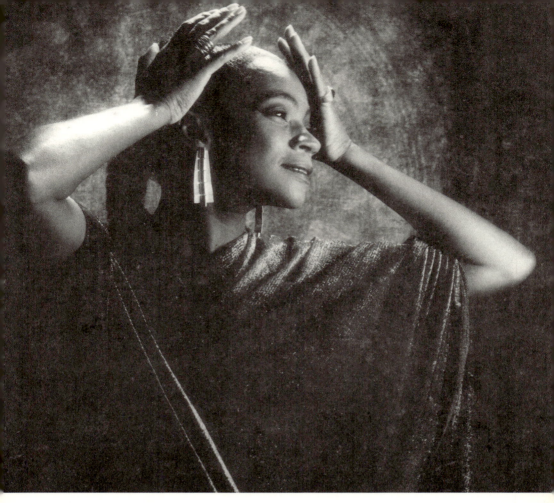

FOTO DE DIVULGAÇÃO DO FILME "DIAS MELHORES VIRÃO", DE CACÁ DIEGUES, 1989.

No ano seguinte, ela fez a minissérie "Mãe de Santo", na extinta Rede Manchete, interpretando uma yalorixá (mãe de santo), personagem principal que narrava histórias do seu terreiro que aconteceram na Bahia. Não havia uma trama central, cada episódio era conduzido de forma independente, mostrando ritos lendários do candomblé. Nessa série foi exibido o primeiro beijo gay entre homens da TV brasileira. No elenco estavam Ângela Correa, Ittala Nandi, Esther Góes, Júlia Lemmertz, Giuseppe Oristânio, Iléia Ferraz, Cláudia Magno, entre outros.

Zezé atuou no curta-metragem "Alva Paixão", em 1992, com direção de Maria Emília Azevedo. O curta falava sobre o poeta negro Cruz e Sousaz, quando doente. Zezé interpretou brilhantemente Gavita Rosa Gonçalves, esposa de Cruz e Sousa, uma mulher extremamente sofrida. Ela adora fazer trabalhos que coloquem o seu lado dramático para fora. Esse foi um deles.

Havia uma cena difícil, quando Gavita tinha um surto de loucura, caminhando ao lado do marido. A atriz buscou inspiração na música "Postal do Amor", assim como fez na abertura da série "Ciranda Cirandinha", em que cantava a mesma canção. Ela conta que começou a cantar e de repente entrou no estado de loucura exigido para a cena.

"Tieta", de 1995, foi o penúltimo filme que fez com o amigo Cacá Diegues. Além de trabalhar novamente com o cineasta, também contracenou com sua comadre Marília Pêra e com Sônia Braga. Ela tinha uma responsabilidade grande, pois sua personagem, Carmosina, havia sido interpretada na TV por Arlete Salles com grande sucesso. O elenco também contava com Chico Anysio, além de Jorge Amado, numa aparição rápida. As cenas da cidade fictícia de Santana do Agreste foram feitas em Picado, povoado que faz parte da cidade de Conceição de Jacuípe, na Bahia.

Depois, Zezé foi gravar a novela "A Próxima Vítima", na Globo, de Silvio de Abreu. A teledramartugia passava por um momento de transformações. Pela segunda vez, Zezé tinha uma família na TV: seus filhos eram interpretados por Camila Pitanga, que fazia Patrícia; Norton Nascimento, que fazia Sidney; e Lui Mendes, que interpretava Jefferson. O ator Antônio Pitanga, fazia Kleber, seu marido.

Zezé conta que o público nacional gostou de ver na TV uma família inteira negra com suas questões, lembrando que antes negros apareciam sem destaque nas tramas.

Silvio de Abreu tinha a intenção de discutir o preconceito social no Brasil, mais do que o racial. Zezé interpretava Fátima, uma secretária executiva bem-sucedida.

Assim, Silvio fez algo interessante ao mostrar outros tipos de preconceitos além do racial. A personagem de Camila Pitanga, por exemplo, apaixonava-se por um personagem loiro. A família dela não reagia bem a isso. Ou seja, tratava-se de um preconceito que partia do negro e não do branco. Outro exemplo é o personagem de Lui Mendes, que era gay e tinha um romance com Sandro, feito por André Gonçalves, um casal que gerou polêmica. Dessa forma o autor tocava em vários temas delicados na TV nacional.

No CD "Chave dos Segredos", gravado em 1995, Zezé colocou a voz em canções de Luiz Melodia, Tom Jobim, Jane Duboc, Adriana Calcanhotto, Marina Lima, Aldir Blanc e vários outros compositores brasileiros. Com esse trabalho, apresentou-se, a convite do Itamaraty, no Carnegie Hall de Nova York, Alemanha, França, Venezuela, México, Chile, Argentina, Angola e Portugal. A música, que dá nome ao CD foi composta por Timbauba.

Na mesma década, a atriz fez "O Testamento do sr. Napomuceno", mais precisamente em 1996. Esse filme foi dirigido por Francisco Manso, um dos mais importantes documentaristas portugueses. O Cidan também participou da produção e na escolha dos atores brasileiros, já que o diretor não os conhecia tanto assim. Tratava-se de uma adaptação do romance de Germano de Almeida, nascido em Cabo Verde. Aliás, foi todo rodado no país, com elenco misturado de brasileiros, portugueses e cabo-verdianos. Entre os brasileiros, o destaque vai para Nelson Xavier, Maria Ceiça, Veluma, Via Negromonte e Chico Diaz, além de Zezé. O longa recebeu vários prêmios em festivais, como o de Gramado, o de Assunção, no Paraguai, e o de Santa Maria da Feira, em Portugal.

Xica da Silva, a novela

ZEZÉ ESTAVA EM CABO VERDE QUANDO RECEBEU UM convite para fazer a novela "Xica da Silva", na Globo. Certo dia, ao chegar no hotel, recebeu um recado para ligar para o diretor Walter Avancini, que estava no Brasil.

Zezé o fez. Ele, que sempre a chamava de comadre, disse: "Comadre, quando termina essa filmagem aí?". Zezé tomou um susto. Ele continuou: "Criei uma novela sobre Xica da Silva. Quero que você faça a mãe da personagem".

Ela ficou impactada e um pouco enciumada. "Posso pensar?", foi a sua resposta. Pensou bastante, fez as contas, já havia se passado 23 anos da estreia de Xica no cinema. Aí sim aceitou fazer a mãe da personagem.

No dia seguinte, acordou e pensou mais um pouco consigo mesma: "Zezé, deixa de ser tonta. Essa é uma homenagem bonita!". E acabou topando o convite. Até hoje ela se pergunta se alguma atriz, em carreira, passou por experiência parecida... fazer uma personagem e depois a mãe dessa personagem. Trabalho, que, no caso, foi o divisor de águas em sua vida profissional.

Do convite ao primeiro dia de trabalho não houve demora. Durante o processo de filmagem, pessoas tentaram fazer intriga, comparando ambas as personagens, perguntando o que Zezé achava da Xica da TV, interpretada brilhantemente por Taís Araújo.

Zezé até pensou que quando a personagem de Taís virasse rainha, ela pudesse ficar com ciúmes, pois atores costumam se apossar de grandes personagens que interpretam na carreira. Mas, não teve um pingo de ciúmes. Estava mais preocupada em construir Maria, a sua personagem dramática, sofrida e amarga. Acabou se apegando à Taís e virando sua mãezona. Zezé torcia por Taís, adorava quando ela trazia coisas novas para a personagem, e vibrou quando Taís passou a ser um sucesso da TV nacional. Avancini era um diretor exigente. Com ele, é ame-o ou deixe-o e Taís se entregou totalmente.

Com a sua personagem, aconteceu algo estranho. Avancini, poderoso e temido diretor, combinava sobre qual o olhar do personagem, o gestual e tom de voz que devia usar. Ficou combinado que Maria teria uma voz gutural e seu estilo de andar seria muito particular. Avancini costuma discutir o universo do personagem com o ator/atriz, como faz Cacá Diegues. Discute até mesmo o signo do personagem, o orixá... Durante as gravações, Zezé começou a ficar cansada, a personagem era densa. Certa vez, ele a chamou e disse: "Você viu o capítulo de ontem?" Zezé respondeu: "Vi, por quê?" Avancini devolve: "Cadê a Maria?" Zezé: "Estou fazendo tudo o que a gente combinou". Avancini: "Você está gravando os capítulos? Pega aqueles com Taís e reveja".

Zezé estava perdendo Maria. Mudara o seu registro de voz, o olhar. Mas ela acordou e Maria voltou!

A novela "Xica da Silva", assim como o filme, foi um grande sucesso. Produzida pela extinta TV Manchete, também foi bastante longa, com 231 capítulos, estreando em setembro de 1996 e terminando apenas em agosto de 1997.

Também foi escrita por Walcyr Carrasco, que na época usava o pseudônimo de Adamo Rangel. Walcyr ainda era contratado do SBT quando foi convidado para escrever a novela ele aceitou o convite, mas precisou criar o pseudônimo.

Tais Araújo foi a primeira protagonista negra de uma novela na história da televisão brasileira. Novata como atriz, foi submetida a vários testes rigorosos, sob o comando de Walter Avancini. Com apenas 17 anos, suas cenas criaram polêmica na novela. Ela aparecia nua diversas vezes. Por causa disso, a Vara da Criança e do adolescente do Rio de Janeiro notificou à TV Manchete e exigiu a retirada da novela do ar.

A direção resolveu então excluir todas as cenas de nudez de Taís. Só que em 25 de novembro de 1996, ela completava 18 anos. Aí todas as suas cenas de nu retornaram.

E as polêmicas e confusões não pararam por aí. Com cenas cada dia mais ousadas, Taís se recusou a gravar uma em que Xica faria sexo anal com o personagem João Fernandes, interpretado pelo ator Victor Wagner. Isso gerou certa fúria do diretor Walter Avancini, que criticou a posição da atriz. Ele chegou a dizer que ela preferia fazer uma Maria Chiquinha do que uma personagem feminista e revolucionária.

O fato é que Taís ganhou o apoio do público e seguiu em frente com a dignidade e o profissionalismo, sem mudar seu ponto de vista e sua visão sobre a personagem. Afinal, as cenas de nudez já estavam se tornando gratuitas e Taís estava coberta de razão.

A novela mexia literalmente com os sentimentos do público brasileiro. Um dos pontos altos era a forma realista com que as cenas iam ao ar. Uma delas trouxe a morte de Maria, personagem de Zezé, em praça pública. Trazia tortura.

Todos esses casos só contribuíam para que a novela aumentasse a audiência a cada dia e se transformasse num sucesso arrebatador. A Manchete vinha de uma crise de anos e acabou em segundo lugar de audiência com "Xica da Silva".

A produção teve gastos de 6 milhões de dólares, com cenários suntuosos, figurinos deslumbrantes e fiéis à época, com mais de 200 figurantes e mais de 100 pessoas na equipe.

No elenco, muitos nomes como Giovanna Antonelli, Drica Moraes, Murilo Rosa, Victor Wagner, Guilherme Piva, Silvia Buarque, Sérgio Britto, Carlos Alberto, Marcos Breda, Adriane Galisteu, Cássia Linhares etc... Tempos depois, a novela foi reapresentada pelo SBT e, ainda mais tarde, considerada pelo jornal espanhol 20 Minutos, como a sexta melhor novela brasileira de todos os tempos.

Outro fato curioso foi quando o SBT comprou os direitos da novela, em 2005, fazendo com que a audiência triplicasse no horário das 22h, conquistando assim a vice-liderança, na faixa da noite.

Como se não bastassem tantas ocupações, Zezé passou a trabalhar na Sociedade Brasileira de Administração e Proteção de Direitos Intelectuais, em 1997. O órgão cuida dos direitos autorais de cantores e compositores no Brasil e no exterior. Zezé entrou na associação como associada, quando virou cantora. Depois, foi convidada a ser conselheira. Até hoje faz parte do grupo e está na diretoria.

Como superintendente da Igualdade Racial, teve uma experiência bacana, porém sofrida. Era doloroso, pois havia vários problemas. Havia a burocracia, a falta de verba, a falta de vontade política e a falta de amor e de comprometimento das pessoas para abraçar os projetos. Ela sonhava e planejava, mas sempre encontrava pedras no meio do caminho.

Zezé trabalhava muito com negros, ciganos, pescadores, enfim, com as ditas minorias. Ela cita como exemplo uma dificuldade: "O governador Sérgio Cabral pensou em derrubar a sede e expulsar os índios, para fazer um estacionamento para as Olimpíadas, mas estávamos lá para impedir".

Fora todos os perrengues que passou, a experiência foi interessante. Zezé visitou muitos quilombos, ficou sabendo tudo sobre eles. Outro fato curioso foi saber suas demandas como superintendente, que tinha a incumbência de cuidar da saúde da população negra. Ela pensou: "Como assim? Saúde é para todo mundo, não pode ser apenas para os negros". Mas, já que era para trabalhar com os negros, ela foi. E realmente descobriu que existem doenças específicas dos povos negros. Uma delas, da qual Zezé batalha até hoje, é a anemia falciforme, doença genética e hereditária predominante em negros. Caracteriza-se por uma alteração nos glóbulos vermelhos e alguns sintomas são: dores articulares, fadiga intensa, ferida nas pernas, tendência a infecções etc. Pode-se descobrir o diagnóstico desde cedo com o teste do pezinho no bebê. Não existe cura, mas acompanhamento médico constante para controlar a doença.

Zezé foi a Brasília algumas vezes e conversou com três ministros da Saúde, mas nunca conseguiu apoio para campanhas em prol da doença.

Em 1998, Zezé estava trabalhando com a dupla Montenegro e Raman, seus empresários até hoje, e, na escolha de seu próximo trabalho, ficou definido um show que a cantora-atriz faria em homenagem a Luiz Melodia. O espetáculo aconteceu em 16 de julho de 1998, no Espaço das Artes em Copacabana, e chamava-se "Invisíveis Cores" com repertório totalmente dedicado a Luiz Melodia. Zezé tinha uma grande cumplicidade com o músico. Sempre teve a impressão de que as músicas dele foram criadas para a voz dela.

O repertório do show contava com 24 músicas e aquela que dá título ao trabalho ele fez especialmente para ela.

Zezé já havia tido um encontro profissional com Melodia. Dividiram palco em 1980, numa viagem pelo país durante um projeto chamado "Seis e Meia". Naquela época, a música "Dores de Amores" fez um sucesso arrebatador nas rádios.

"Invisíveis Cores" começou a ficar de pé graças a Marcus Montenegro, sócio da Montenegro e Raman, que correu atrás da ideia e de Marília Pêra, que sempre esteve ao lado de Zezé. Aliás, Marília falava para Zezé que ela e Melodia eram as duas pessoas mais chiques que ela conhecia.

Marília, na época, propôs dirigir o espetáculo, mas estava envolvida com a peça "Toda Nudez Será Castigada", indicando Fábio Namatame. Mas ela não abriu mão de fazer a supervisão do show.

Marcus Montenegro colocou Zezé num balão, em plena praia de Copacabana, para divulgar o show. A atriz saiu de Copacabana, isso mesmo, num balão, e passeou pela orla carioca com o material promocional do show. Toda a imprensa estava presente, assim como muitos fãs, que se amontoaram em volta do balão.

No final de 1998, Marcus Montenegro convidou Zezé para um espetáculo que ele mesmo produzia, a superprodução musical "Ó Abre Alas", que comemorava os 100 anos da musicista Chiquinha Gonzaga. A peça foi escrita por Maria Adelaide Amaral e dirigida por Charles Moeller e Claudio Botelho. Zezé substituiu a saudosa Selma Reis, que deixava o espetáculo para outros trabalhos. Protagonizada por Rosamaria Murtinho, fez grande sucesso pelo Brasil, sempre com casa lotada. Além de fazer uma participação como cantora do Cabaré, Zezé interpretava a mãe de Chiquinha Gonzaga.

Já disse na introdução do livro, mas vale à pena relembrar um dos momentos de distração de Zezé. Trabalhei nesse espetáculo, como irmão de Chiquinha Gonzaga, filho de Zezé. Em determinada cena, eu entrava com uma mala e ia ler uma carta, mas antes eu cantava um refrão da música "Menina Faceira", de Chiquinha. Eu cantava o refrão umas duas vezes, acompanhado por uma orquestra no fosso. Zezé tinha que entrar e perguntar: "O que está acontecendo aqui?" Então eu parava de cantar e tínhamos uma discussão. Só que Zezé não entrou. Ela esqueceu e fiquei cinco minutos cantando o mesmo refrão, pois não sabia a música inteira. Era a única cena que eu fazia sozinho com Zezé. Se ao menos tivesse com mais alguém em cena, dava para improvisar. Durante os ensaios, Claudio Botelho havia me dito que eu não precisava cantar a música toda, apenas o refrão. Então não me preocupei em aprender a letra. Senti-me um papagaio repetindo o mesmo refrão até Zezé chegar.

Ela estava no camarim do primeiro andar do Teatro Alfa, em São Paulo, e o palco ficava no terceiro andar. Nos camarins, existem televisores para os atores acompanharem a hora de subirem ao palco. Zezé se maquiava na frente da TV e não se deu conta do momento em que devia deixar o recinto. Ela foi levada por um contrarregras e entrou no susto. Estava tão nervosa que falou parte do texto das cenas finais do espetáculo. Não teve jeito! Tive um ataque de riso. A plateia percebeu e fomos ovacionados.

Mais tarde, em 1999, ela fez Conceição, mãe de Orfeu, no cinema, dirigido por Cacá Diegues. A trilha de "Orfeu" era de Caetano Veloso. Tony Garrido fazia Orfeu e Patrícia França, Eurídice. Os atores eram Murilo Benício, Milton Gonçalves, Maria Ceiça, Eliezer Mota e o músico Nelson Sargento, que fez uma participação de luxo. O filme ganhou muitos prêmios, a parceria de Zezé com Cacá sempre foi vitoriosa, ela chegou a fazer cinco filmes com ele.

Parte das filmagens de "Orfeu" aconteceu durante o Carnaval, no sambódromo da Marquês de Sapucaí, durante o desfile da escola de samba Viradouro, de Niterói. Ganhou prêmios da Associação Paulista de Críticos de Arte, como melhor fotografia (de Affonso Beato); o Grande Prêmio Brasil de Cinema, como melhor filme melhor trilha sonora (Caetano Veloso) e novamente melhor fotografia. E venceu como melhor filme no Festival Internacional de Cinema de Cartagena.

Nesse mesmo ano, Zezé fez uma pequena participação no filme "Cronicamente Inviável", de Sérgio Bianchi, que se assemelha a um documentário ao mostrar um retrato da desigualdade social no Brasil. Zezé fez a personagem Ada, mulher que se acha vítima do racismo o tempo todo. Uma personagem o oposto dela. Zezé tem consciência, mas não tem paranoia, não se sente perseguida em relação à sua cor.

Encontro de duas divas

O PRIMEIRO ENCONTRO QUE ZEZÉ TEVE COM ELIZETH Cardoso foi num espetáculo em homenagem a Herivelto Martins, em que se reuniram cantores como Peri Ribeiro, filho do cantor e compositor, Zezé e Elizeth. Ela conversou rapidamente com Elizeth e teve a sensação que se conheciam há anos. Ficou impressionada com sua simplicidade e educação. Na época, nossa estrela não saberia que um dia homenagearia Elizeth nos palcos.

Zezé estava acabando de fazer uma novela e bateu aquela insegurança ao término do trabalho, preocupação normal dos atores em emendar um trabalho no outro. Ela passava o tempo pensando: "Meu Deus, o que vou fazer depois dessa novela?" Um dia, acordou e olhou para sua estante de livros e deu de cara com a biografia "Elizeth, uma vida", do jornalista Sérgio Cabral.

Ela já tinha lido o volume e se esquecido dele. Mas aí ele apareceu na frente de Zezé, por sorte. Foi então que a atriz-cantora teve um pensamento mágico: "Achei meu projeto, vou homenagear Elizeth!"

Ela telefonou para o empresário Marcus Montenegro e compartilhou a ideia de fazer um CD com as canções de Elizeth. Ele adorou, correu atrás de patrocínio e conseguiu.

Antes, Zezé telefonou para Paulo César Valdez, filho e único herdeiro de Elizeth. Ele foi receptivo, contou-lhe que Elizeth era sua fã e que, com certeza, a mãe gostaria muito da homenagem.

Dado a largada, a atriz mergulhou no universo de Elizeth, ficando impressionada com os detalhes de vida da cantora... que coincidiam com coisas que Zezé mesmo viveu. Ambas foram *crooners* em boates e sofreram preconceitos, sem contar que elas fecham os olhos quando sorriem.

Depois de toda a preparação, Zezé lançou o CD "Divina Saudade", com arranjos e produção musical de Roberto Menescal e Flávio Mendes, que saiu pela Albatroz, gravadora de Menescal. Ele selecionou 300 canções, passando por Pixinguinha, Noel Rosa, Haroldo Barbosa, Tom e Vinicius, entre outros. Aliás, a canção "Chega de Saudade", composta pela dupla, foi o primeiro sucesso na voz de Elizeth; não podia faltar no CD. O repertório inclui "Tudo é Magnífico" (Haroldo Barbosa/ Luiz Reis), "Prece" (Vadico/ Mariano Pinto), "Nossos Momentos" (Haroldo Barbosa/ Luiz Reis), "A Noite do Meu Bem" (Dolores Duran), "Feitio de Oração" (Noel Rosa/ Vadico), "Consolação" (Baden Powell/ Vinícius de Morais), "Tem Dó" (Baden Powell/ Vinícius de Morais), "Tristeza" (Haroldo Lobo/ Niltinho), "Amor e a Rosa" (Pernambuco/ Antônio Maria), "Noites Cariocas" (Jacó do Bandolim/ Hermínio Belo de Carvalho), "Lamento" (Pixinguinha/ Vinícius de Morais), "Barracão" (Luiz Antônio/ Teixeira), "Samba Triste" (Baden Powell/ Billy Blanco), "Molambo" (Jayme Florence/ Augusto Mesquita) e "Estrada Branca" (Tom Jobim/ Vinícius de Morais). O show foi um grande sucesso no Rio, abrindo portas para Zezé viajar pelo Brasil. O projeto foi fechado com chave de ouro durante uma apresentação no Canecão, no Rio, em 2002. Zezé considera esse trabalho um dos mais prazerosos e melhores que já fez.

Depois de "Divina Saudade", ainda em 2000, participou de "O Poeta de Sete Faces", documentário sobre a vida do poeta

Carlos Drummond de Andrade, com direção de Paulo Thiago. O filme tinha grandes participações, Paulo Autran, Adélia Prado, Paulo José, Othons Bastos, Ana Beatriz Nogueira, Luciana Braga, Ferreira Gullar, Nildo Parente, Leonardo Vieira, Antonio Calloni, Cláudio Mamberti, Cristina Pereira etc. A narração era de Julia Lemmertz e Antônio Grassi. Trechos da obra podem ser encontrados no Youtube, vale a pena assistir.

Ainda nessa época Zezé fez três filmes com Xuxa: "Xuxa e os Duendes 2: no caminho das fadas" (2002), com direção de Paulo Sérgio de Almeida e Rogério Gomes; "Xuxa e o Tesouro da Cidade Perdida" (2004), com direção de Moacyr Góes; e "Xuxa e O Mistério de Feiurinha" (2009), com direção de Tizuka Yamasaki.

Zezé achou uma diversão trabalhar com Xuxa. Ficou impressionada com seu profissionalismo e com a humanidade que tratava todos que trabalham em seus projetos. "Xuxa é uma criança grande, que não perde nunca seu brilho e a alegria", diz Zezé.

Em "Xuxa e os Duendes 2", interpretou Kálix, profetiza das fadas. Zezé brinca que foi a primeira vez que fez uma fada na vida, já depois de "veia". Em sua caracterização, usou uma lente de contato branca, que dava um aspecto andrógino à personagem. O elenco estelar trazia Susana Vieira, Ana Maria Braga, Débora Secco, Betty Lago, Vera Fischer, o saudoso Guilherme Karan, Thiago Fragoso e Emiliano Queiroz. Além de Luciano Szafir, que interpretava Rafael e fazia par romântico com Xuxa. Esta por sua vez, fazia a botânica Kira. O filme obteve 2.300 milhões de espectadores.

Em "Xuxa e o Tesouro da Cidade Perdida", Zezé interpretava Aurora Hipólito, casada com Hélio Hipólito, interpretado por Milton Gonçalves, ambos arqueólogos. O filme começa com o desaparecimento do casal na floresta. Xuxa fazia Bárbara, uma bióloga ecologista e a Deusa Blomma. Zezé e Milton foram homenageados por Xuxa com uma participação especial. No elenco estavam ainda Marcos Pasquim, Paulo Vilhena, Luiz

Carlos Tourinho, Márcia Cabrita etc. O filme teve 1.331 milhões de espectadores.

Em "Xuxa e o Mistério de Feiurinha", Zezé interpretou Jerusa. Esse filme foi baseado no livro "O fantástico mundo de Feiurinha", do escritor Pedro Bandeira. Uma história que mistura mundo real com fantasia. Sasha Meneghel, filha de Xuxa, interpretava Feiurinha, enquanto Xuxa fazia Cinderela. O elenco trazia Angélica, Dani Valente, Lavínia Vlasak, Simone Soares, Fafy Siqueira, Bruna Marquezine, André Marques, Paulo Gustavo, Leandro Hassum e André Marques. A apresentadora Hebe Camargo fez uma divertida Rainha Mãe. O filme teve 1.300 milhões de espectadores.

Mesmo com filmes populares, nesse momento Zezé continuava a mirar o palco de um teatro, que considera a sua segunda casa. Em 2003, fez a peça "Disse me Disse", de José Carvalho, com direção de Gracindo Júnior. Um elenco todo negro trazia Milton Gonçalves; o seu filho, Maurício Gonçalves; Nelson Xavier; Taís Araújo; Léa Garcia e Romeu Evaristo. A comédia viajou por várias cidades brasileiras, mas não passou pelo Rio nem São Paulo. Taís Araújo foi convidada a protagonizar a novela "Da Cor do Pecado", na Rede Globo, então não havia como conciliar teatro e TV. A peça acabou não fazendo carreira.

Nesse mesmo ano, participou do documentário "Saudade", com direção de Afonso Nunes. O curta ganhou como melhor filme no Jameson Awards, em 2004, e como melhor Direção de Arte no 32º Festival de Cinema de Gramado, no mesmo ano.

Depois, a incansável Zezé fez o filme "Bom Dia Eternidade", com direção de Rogério Moura, em que fazia Odete, personagem de destaque, mulher do protagonista. Zezé lamenta que o Brasil não tenha assistido ao trabalho. O diretor terminou o filme, mas não conseguiu distribui-lo.

A história é baseada na teoria que nós devíamos nascer velhos para depois rejuvenescer. Contava a história de Clementino, interpretado por João Acaiabe, jogador fictício que participou da Seleção Brasileira,na Copa de 1958 e que, depois, na velhice, cai no esquecimento.

O filme já começa com Clementino numa cadeira de rodas. Ele passa o dia inteiro vendo vídeo de seus jogos e cuidando de passarinhos. Não gostava de receber visitas, não saía, não fazia festas, enfim, passou anos sem receber ninguém, só ia ao hospital e nada mais. Um belo dia, Odete cansa e dá um basta na situação. Abriu a casa toda, portas e janelas, e, no dia do aniversário dele, convidou os seus amigos. Ele fica furioso. Não queria receber. Mas Odete finge que não está entendendo mesmo assim continua com a festa. Os amigos eram todos interpretados por famosos. Foram as últimas participações no cinema de José Vasconcelos, Renato Consorte e Mário Carneiro.

No fim das contas, Clementino fica tão feliz em encontrar os amigos que, a partir da grande noite, começa a rejuvenescer. Odete acompanha o processo. Ele se torna rapaz, criança e termina no colo de Odete, que dá mamadeira para ele. "Um filme tão bom, tão lindo, e ao mesmo tão divertido, o Brasil merecia ter visto", pontua Zezé.

Nesse mesmo ano, ela participou do curta "O Moleque", com roteiro de Rogério Moura e direção de Ari Cândido Fernandes. O filme contava a história de Pedrinho, filho de uma lavadeira.

"Quanto Vale ou é por Quilo" foi um filme interessante na opinião de Zezé. Dirigido por Sérgio Bianchi, a história trazia nossa atriz no papel de uma ex escrava. A personagem guardava ouro e comprava a sua alforria. Alguns outros escravos que faziam o mesmo acabavam virando donos de escravos reproduzindo os seus feitores. Herson Capri, Leona Cavalli, Bárbara Paz, Caio Blat, Caco Ciocler, Milton Gonçalves, Marcélia Cartaxo, Lázaro Ramos e Umberto Mignani faziam parte do elenco. Para finalizar o ano, ainda participou do curta "Carolina", premiadíssimo, com magnífica atuação de Zezé. O filme de Jeferson De traz passagens do livro "Quarto de Despejo", escrito pela ex favelada e escritora Carolina Maria de

Jesus, obra que se tornou *cult* nos últimos anos e motivo de muitas teses e estudos. O curta se passa todo dentro de um quarto em que a personagem Carolina vive com a filha, Vera Eunice. Mostra a sua realidade, a miséria, o desespero e o preconceito. Uma obra com atmosfera teatral e imagens históricas da verdadeira Carolina. Depois de alguns anos, Zezé foi convidada para interpretá-la no teatro, mas declinou por conta de outros motivos profissionais já em andamento. Uma pena.

"Ilha dos Escravos", de 2006, foi rodado em Cabo Verde e dirigido por Francisco Manso, mesmo diretor português que fez "O Testamento do Sr. Nepomuceno". Zezé interpretava Júlia. Ao lado dela estavam Milton Gonçalves, Vanessa Giácomo e Diogo Infante. O filme era uma produção do Brasil, da Espanha, de Portugal e de Cabo Verde. A inspiração veio do romance "O Escravo", do português José Evaristo de Almeida. Zezé nunca assistiu a esse filme, pois por questões particulares da produção, acabou nunca chegando ao Brasil.

Em seguida, foi a vez de participar do filme "Deserto Feliz", de 2007, dirigido por Paulo Caldas, que fala de exploração sexual de meninas e do tráfico de animais. Rodado em Recife e Olinda, ganhou vinte e um prêmios entre festivais brasileiros e internacionais, em várias categorias, entre premiações no Festival de Cinema de Gramado, no Festival de Cinema de Guadalajara, no Festival de Cinema Luso Brasileiro de Santa Maria da Feira (Portugal), no Festival de Cinema Brasileiro de Paris e no Festival de Cinema de Triunfo, em Pernambuco.

Depois de um breve hiato, em 2012 Zezé lançou o CD "Negra Melodia", pela gravadora Joia Moderna, em homenagem aos músicos Luiz Melodia e Jards Macalé.

Ela não fez esse trabalho simplesmente porque é fã dos dois. Nas décadas de 70 e 80 foi interprete de várias músicas deles. Melodia sempre foi o cantor e compositor predileto de Zezé e Jards Macalé também sempre teve lugar especial em sua vida.

Alguns anos antes, Zezé também havia invadido a praia de Luiz Melodia, como já foi dito anteriormente. De tal show, havia o projeto de um CD, mas Zezé desistiu ao ler no jornal que Melodia ia regravar seus sucessos.

A história de homenagens faz parte da vida de Zezé há muito tempo. Ela já homenageou Caetano Veloso no show "Coração Vagabundo – Zezé Canta Caetano", no Teatro Rival, só com composições do mestre baiano. Desde o primeiro LP gravado por Zezé, em 1978, ela já interpretava Caetano. "Pecado Original", desse disco, é de um primor sem fim. Antes disso, já tinha empolgado o público com a música "Tigresa", no show do Teatro Ipanema.

O show no Rival consolidava uma espécie de parceria dos dois artistas. Por falar em "Tigresa", em 2015, em sua coluna no Jornal O Globo, o jornalista Nelson Motta, abriu o verbo e revelou que foi Zezé Motta, e não Sônia Braga, quem inspirou Caetano Veloso a escrever essa música. A confusão se deve ao fato de "Tigresa" ter sido tema da personagem Cinthya Levy, interpretada por Sônia Braga, em 1977, em "Espelho Mágico", novela escrita por Lauro Cezar Muniz, na Rede Globo.

A música que Caetano fez para Sônia é "Trem das Cores", e a criação surgiu após uma viagem de trem do Rio de Janeiro a São Paulo que os dois fizeram juntos. Na época em que Caetano escreveu "Tigresa", Zezé tinha o visual andrógino, meio pantera, usava as unhas pretas, o que remeteu ao compositor a ideia.

Retomando "Coração Vagabundo", na semana do show Zezé estava nervosa e pediu para Caetano não ir à estreia, apenas depois. Só que era a única oportunidade de o cantor assisti-la, já que estava em turnê. Zezé ficou arrasada, pois ele nunca conseguiu assistir ao espetáculo. Ela pensa em voltar a fazer o show só para Caetano poder vê-la cantar suas músicas.

Não é de hoje que ela tem encantamento por ele. Reconhece a importância que o artista teve em sua vida profissional. "Caetano tem

Zezé, a musa de Caetano Veloso, homenageada na canção "Tigresa".

uma enorme importância no meu trabalho como cantora. Em 1978, pedi uma música a ele para o meu primeiro LP. Ele tinha 'Pecado Original', e achou que ela tinha tudo a ver comigo. A faixa foi um sucesso só... Caetano é um gênio, um homem incrível, e um artista de se admirar. Seu universo é ilimitado. Não à toa, junto com Gil, comandou a tropicália, que se inscreveu como o movimento mais revolucionário da música popular brasileira. Depois da tropicália, a MPB nunca mais foi a mesma. Caetano juntou guitarras roqueiras ao pandeiro, ao cavaquinho e ao tamborim".

Caetano esteve presente em alguns outros momentos na vida de Zezé. Um desses, o qual ela jamais esquece, foi há muitos anos, quando ela foi vítima de misoginia e ele a defendeu. Ela andava pela praia com Caetano, no Farol da Barra, em Salvador, quando passou um rapaz e gritou para Zezé: "Para quem será que ela deu para fazer sucesso? Caetano não pensou duas vezes. Foi até lá e enfrentou o cara.

Em 2016, ela matou um pouco da saudade de quando fez o show "Coração Vagabundo". O projeto Seis e Meia, realizado pelo Governo do Estado, em parceria com a Secretaria Estadual de Cultura, apresentou no Teatro dos Quatro, no Shopping da Gávea, no Rio, um show reunindo Zezé, Maria Alcina e Cida Moreira. O show, dessa vez, não se chamava "Coração Vagabundo", mas "Corações Vagabundos".

Apesar de cada cantora ter uma maneira específica de cantar, elas tinham em comum a paixão por Caetano. Nesse show, as três interpretavam músicas gravadas em momentos diferentes de suas carreiras. Canções como "Pecado Original" e "Tropicália" faziam parte do repertório. Quem abria o show era o artista piauiense Moisés Chaves, cantando músicas de Angela Ro Ro.

O repertório passava por várias fases e estilos musicais de Caetano, da bossa nova ao lírico, do tropicalismo à canções românticas, passando por aquelas que tinham virado trilha de cinema.

Esta década

O ANO DE 2012 MARCOU A SUA PARTICIPAÇÃO NO FILME "Gonzaga – De Pai para Filho", com direção de Breno Silveira e inspirado nas vidas de Luiz Gonzaga e Gonzaguinha.

Em 2013, participou da série "Copa Hotel, no GNT, protagonizado por Miguel Thiré, que interpretava o fotógrafo Frederico Gonzalez. Zezé fazia a recepcionista Adèle.

Em 2014, fez a novela "Boogie Oogie", da Rede Globo, como Sebastiana. O trabalho fez com que voltasse à sua cabeça a questão de tramas em que se reservam papeis menores a atores negros. Foi um momento delicado. A personagem da novela de Rui Vilhena parecia interessante. A produção a chamou para uma reunião e ela perguntou: "Por que vocês estão me chamando?" A resposta: "Você vai levantar uma discussão interessante. Vai ter um filho, cujo sonho é ser diplomata. Ele vai ter dificuldades porque é negro e você vai lutar até o final da novela para que ele não desista do sonho". Só que isso não aconteceu. Tudo isso foi abordado por apenas cinco capítulos. No primeiro capítulo, ele se apresentava como estudante de Direito. Depois, falava para a mãe do seu sonho. E, um pouco mais para a frente, falava que estava desanimado, pois fazia boas provas e não passava nas entrevistas. Na quarta vez, ele dizia que desistia, mas a mãe falava que ele tinha que insistir. Da quinta vez, pediu para a mãe não tocar mais no assunto, pois ele havia desistido e já tinha arrumado emprego numa agência de turismo.

Zezé sentiu que a sua personagem estava completamente sem ação e função no texto. O máximo que acontecia era ela ser xingada pela vilã, interpretada por Giulia Gam. E Giulia sofria com essa situação e falava à Zezé: "Meu Deus, te admiro tanto, vou ter que falar isso? Vou ter que ficar repetindo que o chá está forte, que o café está fraco. Que desperdício!" Assim como Carvana, que sofria quando a xingava de "negra beiçuda" na novela "Corpo a Corpo".

Zezé quis pedir demissão de "Boogie Oogie". Não por estar fazendo papel de empregada, mas porque não estavam cumprindo o que tinham prometido e estava no contrato. O empresário Marcus Montenegro pediu que ela não tomasse essa atitude, para não fechar portas, já que outras novelas viriam pela frente. Zezé não pediu, mas não teve prazer em fazer a personagem. Depois, ainda tentaram fazer com que ela assistisse a uma tentativa de assassinato. Aí Zezé pensou: "Oba, agora vou virar esse jogo!" A personagem participou dessa trama por poucos dias e depois a chamaram para cantar na boate, na novela. Cantou um capítulo e sumiu, voltando a abrir e fechar portas e servir cafezinho. Zezé teve apenas três momentos de relevância na novela, mas não deram prosseguimento. Ela quase entrou em depressão. Sentiu que estava voltando no tempo, quando era chamada para fazer apenas domésticas.

Na luta do artista negro e o seu espaço nas produções, ainda há outra batalha, conforme Zezé: o salário. "Existe uma realidade brasileira que o homem ganha mais que a mulher, independentemente da competência da mulher. O negro ganha menos que o branco e a mulher negra ganha menos que o homem e menos que a mulher branca", diz a atriz. A sensação que Zezé tem, às vezes, é que quando a chamam para trabalhar, parece que estão fazendo um favor. "Na hora de discutir cachê, há um disparate absurdo. Só não desisto porque não me vejo fazendo outra coisa senão atuar." E, apesar do salário, ela acha que já deu a volta por cima como mulher-artista-negra. Fez muitos trabalhos que lhe renderam alegrias e prestígio. Entre eles, ela gosta dos que interpretou mães de família, como nas novelas "A Próxima Vitima" (Rede Globo), "Rebeldes" (Record) e "Xica da Silva" (Rede Manchete).

Em 2015, Zezé foi fazer a novela "Escrava Mãe", de Gustavo Reiz, na Record. A novela foi gravada naquele ano, mas entrou no ar no ano seguinte. Ela fazia Tia Joaquina, escrava antiga do Engenho do Sol. A personagem tinha uma trama importante, era respeitada por todos os escravos do Engenho e uma espécie de mentora de Juliana, a escrava-mãe, interpretada por Gabriela Moreyra.

Essa novela brindou os seus 72 anos. Durante sete meses, a atriz ficou numa fazenda no interior de São Paulo gravando a produção criada pela Casablanca, com direção de Ivan Zetel e ótimo texto de Gustavo Reiz. A novela atingiu altos pontos no Ibope, batendo concorrentes. No elenco estavam atores como Jussara Freire, Luiza Thomé, Thais Fersoza, Roberta Gualda, Bete Coelho, Cássio Scapin, Luiz Guilherme, Roger Gobeth, Henri Pagnocelli, Gabriela Moreyra, Jayme Periard, Fernando Pavão etc.

Últimos trabalhos

E NESSA LONGA TRAJETÓRIA DE ZEZÉ, CHEGAMOS AO seu último trabalho. Há muitos anos, quando ainda era empresariada por Guilherme Araújo, ela se apresentou em Hannover, na Alemanha, a convite de Manesman. No show, pediram sambas no repertório. O sucesso foi absoluto. Algo inesperado para ela, pois nunca pensou em cantar apenas o estilo musical, como já foi dito. O pedido pegou a atriz de surpresa. Como reflexo do trabalho, logo foi convidada para se apresentar no encerramento de um evento no Itamaraty.

Os anos se passaram e Zezé continuou sua batalha. Mas voltando um pouco no tempo, mais precisamente em 2006, ela retornou a ideia de cantar sambas. Conversou com Marcus Montenegro, seu empresário, que abraçou a ideia, levando-a ao encontro do compositor e produtor Cristiano Moreno.

Do encontro surgiu a ideia de se fazer uma grande feijoada no Teatro Rival, no Rio de Janeiro, cuja proprietária hoje é a atriz Leandra Leal. A feijoada iria reunir 200 compositores, que levariam novas composições para Zezé gravar um novo CD. Na lista faziam parte Nelson Sargento, Sérgio Procópio, Darci Maravilha,

A atriz na novela "Boogie Logie", de 2015, entre as inúmeras que atuou na Rede Globo.

Serginho Meriti, Marquinhos PDQ e muitos outros. Alguns não puderam comparecer, mas enviaram composições, como Arlindo Cruz e Zé Renato. Todas as 200 canções foram gravadas ao vivo durante a apresentação no Rival. Passados dez anos, o sonho virou realidade e Zezé gravou seu último trabalho com o título "O Samba Mandou Me Chamar", sob a regência do maestro Celso Santana, produção de Karina Alaor e realização da gravadora Coqueiro Verde e da produtora Montenegro e Raman. No repertório, destaques para "Nós Dois", de Arlindo Cruz e Maurição; "Já Pode Chegar", de Christiano Moreno, Paulo Carvalho e Fábio Siri; "A Primavera se Despede", de Sérginho Procópio, entre outras.

Zezé Motta voltou à Globo, em 2017, para participar de "O Outro Lado do Paraíso", de Walcyr Carrasco, com direção de Mauro Mendonça Filho. Ela interpretou uma quilombola, a mãe do quilombo. "Quando se fala em quilombo, muita gente acha que se trata daqueles dos tempos da escravidão, mas hoje existem aproximadamente três mil quilombos em nosso Brasil. Conheço cerca de 40 deles", diz a atriz. A ideia da sua personagem foi mostrar como as pessoas vivem nesses locais de resistência da cultura africana. Quilombolas, ainda hoje, são bastante marginalizados, assim como tribos indígenas. Zezé começou a conhecer a realidade dos quilombos quando foi Conselheira dos Direitos Humanos, no Governo de Fernando Henrique Cardoso. "Nos Quilombos de hoje a estrutura é precária, alguns estão totalmente abandonados. Faltam médicos, professores, saneamento básico, muitos não têm luz elétrica." Ela fala que se identificou bastante com a personagem de Walcyr. "Outra coisa que adorei é que ela usava capim dourado dos pés à cabeça. Todos os acessórios usados por nós, na novela, foram confeccionados por uma quilombola de Tocantins."

Novela "Ouro Verde", em Portugal

EM 2016, ZEZÉ RECEBEU CONVITE PARA PARTICIPAR da novela "Ouro Verde", da TVI, em Portugal. Escrita por Maria João Costa, dirigida por Hugo de Sousa e produzida pela Plural Entertainment, a novela estreou em janeiro de 2017. Foi gravada em Portugal e no Brasil, e algumas cenas em Madrid. "Ouro Verde" conta a história de Jorge Monforte, dono do império Ouro Verde (Brasil), um dos líderes mundiais do mercado agropecuário.

Durante alguns meses, Zezé se mudou para Portugal para interpretar a personagem Neném, baiana que manda e desmanda na fazenda Ouro Verde, sobretudo desde que sua patroa morre.

O elenco trazia os portugueses Diogo Morgado, Joana de Verona, Luís Esparteiro, Ana Sofia Martins, Pedro Carvalho – protagonista masculino da novela "Escrava Mãe", na Record, em 2016 –, Manuela Couto, Nuno Homem de Sá e os brasileiros Silvia Pfeifer, Ursula Corona e Gracindo Júnior. Falando no elenco, foi com o ator português Pedro Carvalho que Zezé contracenou em "Escrava Mãe", de Gustavo Reiz, que a indicou para o papel.

Na novela portuguesa "Ouro Verde", da TVI, em 2017.

"Ouro Verde", segundo Zezé, trouxe muitas boas surpresas. "Além de amar Portugal, foi um projeto que me deixou feliz".

Mal aterrissou no Brasil e foi fazer a série "Sob Pressão", da Globo, que aborda o cotidiano cheio de conflitos entre médicos de um hospital público. Foi escrita por Antônio Prata, Jorge Furtado, Márcio Alemão e Lucas Paraizo, com consultoria médica de Márcio Maranhão e direção geral de Mini Kerti, além de direção artística de Andrucha Waddington.

No elenco, além de Zezé, estão Luís Melo, Marjorie Estiano, Bruno Garcia, Stepan Nercessian, Tatsu Carvalho, Vinicius de Oliveira, Angela Leal, Bruna Griphão, Heloisa Jorge, Júlio Andrade e Orã Figueiredo.

Homenageada da Acadêmicos do Sossego

O ANO DE 2017 AINDA TEVE MAIS EMOÇÕES PARA A ARtista. Enquanto terminava a filmagem do trabalho português, Zezé voltou ao Brasil no Carnaval. Era a homenageada da Escola de Samba Acadêmicos do Sossego, primeira escola de samba a pisar no Sambódromo, da Marquês de Sapucaí, no Centro do Rio, no mesmo ano.

Ela ficou emocionadíssima e desfilou com amigos e membros da família. Seu figurino foi desenhado pela estilista Bruna Bee e representava uma divindade africana. Zezé foi no último carro e pediu ao carnavalesco Márcio Puluker para destacar na alegoria suas características de origem negra, como o fato de ser filha de Oxum. O samba foi criado pelo compositor Ito Melodia.

Zezé Motta, A Deusa de Ébano

Eu vi Mamãe Oxum clarear a cachoeira
Eu vi Mamãe Oxum clarear a cachoeira
Zezé Motta vai brilhar, nasce uma estrela
Sossego mandou me chamar, eu vou!
Ora yê yê, Oxum, aiê iê ô!
Ora yê yê, Oxum, aiê iê ô!
Deusa de Ébano, suba ao seu templo sagrado
Dionísio embriagado de alegria
Te oferta a lira de Orfeu
Ah, é uma honra! Eu já fui Conceição
Farei dessa avenida um quilombo

Nas voltas do meu coração
Volte a reinar, Xica da Silva!
Rufam os tambores por dignidade
Pois é, meu sangue não nega
Trilha sonora da senhora liberdade
Fiz dançar a hipocrisia numa negra melodia
Tenho a cor da noite, a dor ensina
Seja a luz que ilumina, ó divina!
Serei até quando a tela deixar meus nobres
irmãos atuar
Onde o sol bate e se fi rma, abrem-se as cortinas
Negras estrelas caem do céu
Terá a igualdade um cintilante papel
Até breve, diva. Axé!
Muito prazer, eu sou Zezé

G.R.E.S. Acadêmicos do Sossego

Ilustração Adinkra *Nyame Nti, Menwe Wura*. Símbolo da fé e da confiança em Deus.

Os casamentos

ZEZÉ FOI CASADA ALGUMAS VEZES. ELA ACREDITA NO casamento, mas hoje em dia, diz que teria dificuldade em manter uma relação com alguém na mesma casa. Há alguns anos não pensa em se casar de novo. "Gosto de ficar junto, namorar, mas estou solteira. Tenho expectativa, mas nunca pressa. Estou sempre aberta ao amor, que é muito bem-vindo." Zezé ainda revela que não se casou novamente porque os homens da sua idade ou já estão casados ou gostam de mulheres mais jovens, ou então cuidaram mal da saúde.

O primeiro casamento foi com o ator Rinaldo Genes, em 1972, durante a temporada da peça "A Vida Escrachada de Joana Martini e Baby Stompanato". A relação durou dois anos. Em 1974, casou-se com Beto Leão, cenógrafo que conheceu durante as filmagens de "Xica da Silva". Beto era amigo de Cacá Diegues, que foi padrinho do casal.

Em 1976, ela conheceu o arquiteto e músico Marcos Palma, na inauguração da Frenetic Dancing Days Discoteque, casa de show criada pelo jornalista e produtor musical Nelson Motta. O nome do lugar inspirou a criação da novela "Dancin' Days", de Gilberto Braga.

Zezé diz que foi amor à primeira vista e se casou com Palma no dia em que eles se conheceram. Ela estava jururu, pois havia perdi-

Zezé atuando na novela "Corpo Dourado", da Rede Globo, em 1998.

do seu pai havia três meses. Ela conta que só foi à festa de inauguração porque Nelson Motta era seu compadre, além de grande amigo. Marcos Palma se aproximou e disse: "Você devia estar feliz. Acabou de ganhar um prêmio de melhor atriz por 'Xica da Silva'". Ela deitou a cabeça em seu ombro e começou a chorar. A partir daquele dia começou a relação, que durou alguns anos. Palma deixou a arquitetura e resolveu se dedicar à música para acompanhar Zezé em shows pelo mundo.

Em 1984, Zezé casou-se com o afro-belga Jacques D'adesky. Afro-belga, com mãe africana de Ruanda e pai Belga, é pesquisador com especialidade em culturas negras, além de ser economista e escritor. Jacques ajudou Zezé a fundar o Cidan. Houve um dia em que Zezé foi assistir uma palestra do rapaz na Faculdade Cândido Mendes, em Ipanema. "Fiquei encantada com aquele príncipe negro tentando falar português com sotaque francês. Aproximei-me para que ele aperfeiçoasse o seu português", diverte-se ela. Permaneceram juntos por cinco anos, conforme diz Zezé. Já ele fala que foram quatro anos, pois só registrou o tempo em que foram felizes. As viagens da atriz eram um problema no casamento. Aliás, as viagens de Zezé sempre foram um problema para seus casamentos. "Os homens não estão preparados para ter uma mulher que diz que vai passar três meses fora de casa".

Por fim, casou-se com o editor de livros Osmar Rodrigues. Em 2001, Zezé foi convidada por ele para ir num lançamento de livro, mas não pôde aparecer, justificando a ausência. Ele foi até sua casa levar um exemplar do livro. "O final da história, não preciso contar...", diz Zezé. "Sou movida à paixão. Para citar todas, precisaria de um livro com 1.000 páginas. São pessoas que amo para sempre."

Os filhos de coração

ZEZÉ SEMPRE TEVE GRAVIDEZ DE RISCO. ENGRAVIDOU três vezes. Da primeira, foi avisar ao pai da criança que estava grávida e antes mesmo que ela falasse, ouviu: "Estou apaixonado por uma bailarina". Começaram as cólicas e ficou de repouso, com a ajuda de Marília Pêra, mas não teve jeito. Acabou perdendo a criança. Depois, engravidou de Marcos Palma. Zezé também perdeu a criança. A última gravidez foi do belga Jacques. Zezé foi ao médico e disse que queria um filho. Ele falou que, como ela tem útero infantil, devia usar diu durante um ano inteiro para que seu útero dilatasse. Quando o médico a liberou para ser mãe, ela estava com 39 anos, terminando as filmagens de "Quilombo", e desanimou. Achou que não era mais hora de engravidar. Ela estava na crise dos quarenta.

Ao desistir da maternidade, passou a adotar crianças. São seus filhos de criação, de quem sempre cuidou com amor intenso. A primeira filha adotada, Luciana, chegou aos quatro anos. Zezé fazia um show beneficente no Parque Laje para a Casa da Criança, instituição que ficava na rua Alice, no bairro das Laranjeiras, no Rio de Janeiro. Seu amigo, Carlos Veiga, fundador da Instituição, foi ao camarim para lhe falar que uma menininha de 4 anos era sua fã e queria muito falar com ela.

Zezé imediatamente quis encontrar a garota, que era muito falante e comunicativa. Foi amor à primeira vista de ambas. Trocaram telefones e a menina sempre lhe telefonava para matar saudades. Zezé ia sempre à Casa da Criança e, todas as vezes, Luciana não a desgrudava. Zezé resolveu ser sua madrinha. Dava-lhe roupas, sapatos, material escolar e tudo mais de que precisasse. A relação das duas foi se aprofundando. Elas começaram a passar finais de semana juntas, depois férias.

Um belo dia, a psicóloga da Casa da Criança chamou Zezé para uma conversa. Ela achava que Luciana estava ficando confusa, pois se sentia protegida por Zezé como uma filha, mas sempre elas acabavam se separando. Propôs então que Zezé adotasse Luciana definitivamente. Ela chegou a estudar no Tablado.

Zezé não a levou imediatamente, pois tinha uma vida ocupada, de viagens a trabalho, não parava em casa. Mas a relação entre elas ficava cada vez mais íntima. Aos 16 anos, Luciana foi passar um final de semana na casa de Zezé e lhe disse: "Vim para ficar!" Nunca mais saiu do lado da mãe.

Depois veio Carla, atriz que hoje trabalha com produção de cinema. Em seguida, foi a vez de Cíntia chegar. Ela é bailarina de afro e pertence ao grupo Orunmilá. Trabalha com cabelos étnicos. Primas de terceiro grau de Zezé, Nadinne e Sirlene também foram adotadas pela atriz. Ambas são irmãs e, na adolescência, o pai, que era militar, foi transferido com a família para Manaus. As duas não se adaptaram na cidade e ficaram deprimidas. Sirlene estava tão deprimida que seus cabelos estavam caindo. Quando Zezé soube do estado das meninas, pediu ao pai que elas voltassem ao Rio, para morar em sua casa.

Nadinne apareceu de imediato. Mudou-se para o Rio e se matriculou num curso de teatro. Sirlene resolveu ficar com a família em Manaus, mas, nas férias, teve saudades da irmã e foi visitá-la. Acabou ficando. Hoje, cada uma está num canto. Nadinne, por exemplo, mora no Canadá. Por último, tem a Erica, sobrinha da atriz. A jornalista continua na casa de Zezé, no Leme. Erica é sua afilhada, filha de um irmão da Zezé por parte de pai. Morava em Itacaré, na Bahia, e se mudou para o Rio de Janeiro para fazer faculdade. Hoje, trabalha na TV Whoo como produtora e apresentadora de um programa de esportes.

Como toda mãe, Zezé sempre fica emocionada com suas meninas que cresceram e estão conquistando espaço no mercado de trabalho, construindo famílias. Rígida, pois assim foi criada, Zezé sempre tempera a relação com conversa e humor. Costuma ser aberta ao diálogo, e as filhas não têm o menor pudor de se abrir com a mãe sobre qualquer tipo de assunto.

Zezé

por

Zezé

50 anos de carreira

INICIAR UMA CARREIRA É DIFÍCIL PARA TODO MUNDO. Ser bem-sucedida e manter a carreira por muitos anos é o mais complicado. É preciso ter disciplina, sorte, gostar de fazer o que se faz e nunca desistir. Agradeço a Deus todos os dias por festejar agora 50 anos de carreira.

Velhice numa boa

TIVE A CRISE DOS 40, DOS 50 E DOS 60. ESTOU COM 73 E cansei de sofrer com transformações inevitáveis do tempo, que é implacável. Resolvi curtir o lado bom de não ter mais 20 anos e conviver com as crises existenciais inevitáveis da juventude. Tenho me preocupado bastante com a saúde física, a mental e a espiritual. Tenho tentado ser cada dia uma pessoa melhor.

Muita gente sonha com o paraíso, mas ninguém quer morrer

VIVER É UM PRIVILÉGIO, APESAR DOS PESARES. UMA coisa me intriga: tem gente que sonha com o céu, há quem sonhe com o paraíso, na esperança de que são lugares melhores do que o planeta Terra. Mas pergunta se alguém quer morrer...

Minha religião é o palco

FUI BATIZADA NA IGREJA CATÓLICA E CRIADA NO ASI-lo Espírita João Evangelista, dos 6 aos 12 anos. Fui batizada na Congregação Reino Unido das Testemunhas de Jeová, aos 15 anos, e lá permaneci até os 18 anos. Depois, frequentei a Umbanda e o Candomblé. Hoje minha religião é o palco. Agradeço a Deus, todos os dias, por ter nascido com o dom de cantar e representar. Mas confesso que nessa busca incansável, me identifico com o Kardecismo.

Sou fêmea indomável

SOU MUITO FEMININA, VAIDOSA, MÃEZONA, SOU DO lar, como fêmea, sou muito dedicada, porém indomável. Gosto de ser mulher, mas se existir outra encarnação, gostaria de voltar como homem. Curiosidade feminina.

O amor...

AMOR É FUNDAMENTAL. PRECISO DO AMOR, COMO do ar que respiro. Amor da família, dos amigos, dos fãs... De um companheiro. Sou totalmente dependente do amor, mas quem não é?

Os medos

NOSSA, SÃO TANTOS! DA SOLIDÃO, DO MAR (NÃO SEI nadar), de adoecer (sou hipocondríaca), ficar sem trabalho, magoar as pessoas, morrer. Tenho medo até de dormir no escuro.

Sexo é bom

QUANDO MINHA MÃE CASOU COM MEU PADRASTO, AOS 70 anos, pensei: "Ela deve sentir falta de uma companhia para ir ao cinema, ao teatro, jantar fora etc". Com o tempo, percebi que ela tinha uma vida sexual regular. Eu e minha mãe, até hoje, conversamos sobre sexo (e também sobre qualquer outro assunto), sem cerimônia. Agora que tenho 73 anos e estou solteira, entendo que uma mulher saudável tem uma vida sexual longa.

Música é privilégio

EU NÃO IMAGINO O MUNDO SEM MÚSICA. MÚSICA É SInônimo de alegria, tristeza, recordação, emoção. E, como diz o maestro Gilberto Gil, compor e interpretar a música é bom demais, e ainda ser remunerado por isso? É um privilégio.

Negro x racismo

SOU UMA DAS FUNDADORAS DO MOVIMENTO NEGRO Contra a Discriminação Racial, fundado em 1971. É uma luta incansável e às vezes parece interminável. Mesmo quem está na mídia, como jogadores de futebol, personalidades e artistas negros, ainda é discriminado. Eu me pergunto: "Se atacam pessoas reconhecidas culturalmente ou de classe economicamente abastada, imagina o que acontece com o negro anônimo?" Houve um tempo em que o racismo no Brasil era velado, agora é escancarado.

Ensaio fotográfico realizado por Vera Donato na casa de Zezé, a mesma em que morou a escritora Clarice Lispector. Leme, Rio de Janeiro, 20

Ser humano

FIZ UM FILME QUE ESTREOU EM 2017, "COMÉDIA DIVI-na", do Toni Venturi. É sobre a briga de Deus e do Diabo pela dominação do Universo. O filme termina com a seguinte frase: "O homem não deu certo, por isso criei os cachorros".

Família é uma bênção

SÃO CONSIDERADOS FAMILIARES PESSOAS LIGADAS pelo sangue, mas, no mundo moderno, além dessas pessoas, tem as que a gente escolhe. Família é tão importante que não consigo uma palavra que a defina. Envolve amor, cuidado, discórdias, saudades e culpa pela ausência. É preciso administrar tudo isso. Família é uma bênção.

Política ou "o sonho acabou"

MOMENTO DIFÍCIL PARA FALAR SOBRE POLÍTICA. A sensação é que o sonho acabou. Tive uma fase de depressão, pois sempre votei no PT. Mas já reagi, até voltei a participar de evento político caminhando e cantando pelas Diretas Já. Se a gente desistir do país, ele continua na boca dos leões. A luta continua!

Filhos

RESPONSABILIDADE, CULPA PELA AUSÊNCIA, INSÔ-nia, amor, saudade, carinho.... Ufa! Sem eles, a vida deve ser sem graça. Deve faltar alguma coisa. Por isso, quem não tem adota cachorros, gatos, tartaruga. Vale tudo para formar uma família completa.

Dia a dia

ACORDO CEDO, TOMO CAFÉ E LEIO O JORNAL. QUANDO posso, faço caminhada. Quando Bia, minha secretária, chega, peço dez coisas ao mesmo tempo. No começo, ela ficava zonza, mas depois de cinco anos, já administra tudo com bastante calma. Tenho um bloco para rascunho, que, na mesma página, tem horário de entrevista, viagens, lista de supermercado. Tenho mania de usar "SOS", antes de anotar os compromissos, porque hoje em dia, tudo é para ontem né?!

Vacilos...

DIVIRTO-ME COM MEUS VACILOS. NOS ANOS 70, MEU amigo Rick desistiu de morar em Nova York e voltou para o Brasil. Ele é fotógrafo e cismou que eu daria uma boa modelo fotográfica. Um dia, fui à casa dele para ver o resultado de fotos que havia feito para a revista Desfile. Fui apresentada a uma jovem que estava sentada no chão, enrolando um baseado. Ele a apresentou como sendo Janis Joplin. Ela levantou os olhos e disse: "Hi, vim ver as suas fotos". Depois, falei para ele: "Me engana, que eu gosto!"

Anos depois, saiu uma reportagem na Manchete sobre os amigos da Janis Joplin no Brasil, e lá estava Rick sendo citado como o cara que a hospedava, aquele ano, no Brasil.

Toda vez que encontro uma mulher grávida, no elevador, no mercado, avião, costumo dizer: "Vem mais um brasileirinho aí, né?" Às vezes, a resposta é "brasileirinha", mas já aconteceu mais de eu ouvir: "Não estou grávida não, estou gorda mesmo".

Certa vez, cheguei atrasada no teatro Mesbla, onde participava da peça "A vida escrachada de Joana Martini e Baby Stampanato", com Marília Pêra, Marcos Nanini. Para chegar, tinha que pegar um elevador até o andar do teatro. Bem, houve uma vez que a porta do elevador abriu e vi um rapaz que eu conhecia. Pensei: "Ele vai perguntar pela família toda e me atrasar mais ainda. Ele saiu do elevador, me dirigi a ele com dois tapinhas nas costas e entrei correndo no elevador. Cheguei esbaforida no teatro e alguém do elenco falou: "Calma, você não está atrasada, houve um coquetel para o Jhonny Mathis que só terminou agora. Você deve ter encontrado ele, acabou de sair daqui". Ele deve ter pensado que sou uma mulher louca.

Manias e tocs

TENHO ALGUNS TOCS. VERIFICO, À NOITE, POR TRÊS vezes, se as portas da casa estão fechadas. Arrumo banheiros públicos, antes de usá-los. Uma vez, num voo para Lisboa, entrei no banheiro antes do café da manhã, dei uma geral, e, quando saí, havia uma fila enorme com o kit higiênico nas mãos. Todos estavam furiosos com a demora da pessoa que estava no toalete.

Curiosidade

QUANDO FIZ XICA DA SILVA, TINHA 30 ANOS. O ATOR Stephan Nercessiam, mais jovem e que também fazia o filme, vivia me cantando, mas não rolou. No dia que ele voltou de Diamantina, onde aconteciam as filmagens, para o Rio, foi se despedir de mim e eu, só para zoar, falei: "Puxa, que pena, eu tinha decidido transar com você". Ele disse: "Tudo bem, mas posso, pelo menos, dizer para todo mundo que transamos".

Depoimentos

Tive a honra e o prazer de contracenar com Zezé Motta em "Sete - O Musical". A sua beleza, sua generosidade, sua voz, seu humor, o charme, o carisma, a delicadeza, a alma de puro sentimento e... ah, a sua gargalhada! Tudo me tocou profundamente. É ou não é um privilégio ter um momento da vida salpicado por essas gotinhas saborosas de uma artista com as cores e a trajetória da Zezé? Você agora está com um presente nas mãos: átimos atemporais temperados por Zezé, num mergulho em sua história... Boa viagem!

ALESSANDRA MAESTRINI
ATRIZ E CANTORA

A atriz com a filha Carla Barbosa: "Mulher que encanta por onde passa".

De sorriso largo e peito aberto a tudo e a todos, a mulher que encanta por onde passa... essa mulher é Maria José Mota, a tigresa de unhas negras, a Cana Caiana, Zezé da lua de mel, da cor do café... que tenho a honra de chamar de mãe. Ela é tudo isso e muito mais. Sinônimo de competência, de alegria e de luta. Minha mãe me ensina todos os dias alguma lição, seja lutar pelos meus objetivos, seja ser gentil com o mundo. Acabei de realizar uma mostra de cinema em homenagem aos seus 50 anos de carreira. A mostra "Zezé Motta – 50 Anos de Cinema". Sim! Consegui fazer um trabalho digno da diva que ela é e que nem se dá conta, realmente. A primeira edição da mostra aconteceu em Recife. Com esse trabalho, quero não só homenageá-la, mas também levar sua arte a diversas gerações. Eu poderia contar inúmeras situações das nossas vidas, mas aí acabaria escrevendo um livro. Então prefiro fazer um recorte da nossa cumplicidade. Zezé é a minha melhor amiga, a mãe que está atenta ao que os filhos sentem, que mostra caminhos e nos faz refletir, uma mãe que se assusta com seu susto e se alegra com a sua alegria. Zezé é o colo que acalma e a força que me faz ir à luta. Generosidade é a palavra que a define, seguida de amor, mesmo quando bate palminhas (ela faz isso quando está muito brava). As nossas gargalhadas são as melhores, juntas. Uma vez me perguntaram se era legal ser filha de artista reconhecida. Eu rapidamente respondi que não recomendo (risos). Muitas vezes queremos estar próximas fisicamente, mas por conta de trabalhos e compromissos, os encontros nem sempre são possíveis. Mas em reuniões em família, aproveito do seu colo ao máximo. Obrigada, mãe, por chorar meu pranto e rir o meu riso. Todo o meu amor!

CARLA BARBOSA

GESTORA E PRODUTORA CULTURAL E ATRIZ (FILHA DE ZEZÉ)

Zezé é daquelas atrizes que o jornalista gosta de entrevistar. Está sempre com sorriso aberto e disposta a dividir suas histórias de vida e de carreira. É uma delícia... não só vê-la atuar com toda a sua delicadeza e emoção, mas estar perto para trocar experiência é também uma dádiva da minha profissão. Zezé é uma lady, elegante, simpática e dona de um importante capítulo na dramaturgia brasileira. Ela merece todas as homenagens possíveis. Sempre!

CARLA BITTENCOURT
JORNALISTA / COLUNISTA TELINHA JORNAL EXTRA

COM A FILHA CINTIA ÉBANO: "ZEZÉ É UMA LADY".

Trabalhei com Zezé na novela "Kananga do Japão". Foi um momento importante para mim. Era a primeira vez que fazia uma cena em uma novela. A personagem de Zezé era a dona da Kananga. Eu interpretava o Duque. Dançava com Cristiane Torloni, que fazia Dora. Zezé me acalmou, me tranquilizou. Uma grande atriz do quilate de Zezé... Ela me recebeu de forma carinhosa. Foi importantíssima na minha carreira. Depois, fez também uma locução pra mim, num espetáculo chamado "Isto é Brasil", que eu fazia com Ana Botafogo. Só tenho a agradecer, Zezé.

CARLINHOS DE JESUS
BAILARINO

Difícil expressar o que Zezé representa pra mim. Ela é tudo o que sou. Ela levanta a minha autoestima quando estou para baixo. Ela me ensinou desde cedo a ter personalidade e a ser uma mulher independente. Tenho orgulho de tê-la como mãe. Com ela encontrei o amor de mãe, que não tive na primeira infância. Há uma frase que a minha mãe sempre diz: "Você não é a filha que coloquei no mundo, mas a que escolhi".

CÍNTIA ÉBANO
MEMBRO DO PROJETO TRANÇA TERAPIA NO INSTITUTO *BLACK* (FILHA DE ZEZÉ)

Zezé é a irmã mais velha do meu pai. Eles tinham uma relação ótima e por conta disso ele a escolheu para ser minha madrinha. No dia do batizado ela se atrasou, mas chegou com aquele sorriso, que fez todos desistirem de lhe dar broncas. Morei anos na Bahia e, durante as férias, ficava na casa dela. Passava seus textos de novela, usava as roupas de show, figurinos de personagens de filmes... Era pura diversão. Quando completei 18 anos, mudei-me para o Rio de Janeiro para estudar Jornalismo, e fui morar com Zezé. Tive a oportunidade de conhecer outra Zezé. A mãezona, extremamente generosa. Ela é o tipo de pessoa que quer abraçar o mundo. Recebe pessoas em casa para almoços e também para temporadas. Sempre está disposta a ajudar, acolher, encorajar. Ela sempre fala que não jogou tudo para cima, pois encontrou pessoas boas pelo caminho que a fizeram acreditar na bondade. Ela pode ficar anos sem te ligar, pode esquecer de te dar feliz aniversário ou te dar de presente a mesma coisa que você deu para ela no aniversário passado por achar a sua cara (ela já fez isso comigo hahaha). Zezé é distraída, Zezé tem um coração enorme, Zezé é grande.

ERIKA PRADO
JORNALISTA (SOBRINHA DE ZEZÉ)

Com a sobrinha Erika Prado e a filha Carla Barbosa.

Já era fã da Zezé e quando tive a oportunidade de conhecê-la, fiquei encantada. Pessoa incrível, atriz brilhante, boa amiga de coração gigante. Tivemos cenas difíceis juntas, e ter Zezé ali comigo, poder trocar com ela, sempre é um presente. Não sei se ela vai lembrar, mas houve um dia em que não cheguei bem para gravar, fazíamos juntas a novela "Escrava Mãe". Ela me olhou nos olhos e disse: "Está tudo bem, amada?" Deu-me um forte abraço e eu chorei. Então ela me ninou, como uma mãe. Zezé me conhece pelo olhar. Obrigada,

Zezé, pela oportunidade de trabalhar com você, rir com você, e ser cuidada por você.

GABRIELA MOREYRA

ATRIZ

Foi uma honra escrever um personagem especialmente para Zezé em meio às comemoração de seus 50 anos de carreira. Quando surgiu o convite para desenvolver a trama de "Escrava Mãe", que mostraria o início da história da escrava Isaura, pensei que seria especial e simbólico ter Zezé no elenco, como grande mentora da protagonista. Primeiro por considerá-la um ícone da nossa teledramaturgia, que sempre brilhou em papéis marcantes, inclusive, sobre a temática. Há também o seu inquestionável talento. Zezé agrega credibilidade, teríamos a possibilidade de levar mensagens extremamente importantes ao público de forma verdadeira e emocionante. As palavras de paz, igualdade, amor e união proferidas pela Tia Joaquina ganharam força sem igual na voz e na interpretação tocantes da Zezé. Forte, sensível, maternal, guerreira, dona de um sorriso contagiante, de um olhar determinado... Zezé é um presente para autores e telespectadores.

Insisti muito para ela fazer a novela, saímos para jantar e garanti que seria um trabalho muito especial, que o personagem viria com a importância que uma atriz como ela merece. E durante uma visita às gravações, ela me abraçou e abriu aquele sorrisão, dizendo que não havia sido enganada, mas que eu podia pegar mais leve, fazendo referência às falas enormes e tantas cenas da Tia Joaquina! Foi um trabalho especial, que só aumentou minha admiração por esta grande e tão querida atriz.

GUSTAVO REIZ
AUTOR DE NOVELA

Foi em 2015, quando visitava os estúdios da Casablanca, em Paulínia, durante as gravações de "Escrava Mãe", que tive o privilégio de conhecer Zezé. Um amigo ator dizia-me que tinha de conhecê-la, e mais, levá-la um dia a Portugal, para fazer uma novela conosco. Mal sabia eu que, dali a uns tempos, eu iria dirigir a primeira novela portuguesa com vários atores brasileiros. Mal comecei a preparar a trama e percebi que tinha um papel que só Zezé poderia fazer, a nossa Neném, de "Ouro Verde". Assim se iniciou uma longa jornada de trabalho. Durante todo o tempo de rodagem da novela, tive oportunidade de conhecer e dirigir a mulher que fazia parte de meu imaginário de criança. Trabalhar com a Zezé se tornou uma imensa aprendizagem de humildade e simplicidade. Ela é, sem dúvida, o ser humano e a profissional que qualquer diretor deseja ter junto de si. Sempre sorridente, bem disposta, disponível para ser dirigida. A música talvez fosse o talento que eu menos conhecia em Zezé, mas logo surgiu a oportunidade de explorar essa área, quando decidimos incluir dois temas cantados por ela na nossa novela. Mal sabia que esse era um dos seus sonhos. Jamais me esquecerei do dia em que a novela estreou. Convidei um pequeno grupo de atores e a equipe técnica para assistir ao capítulo na minha casa. Zezé estava lá e chorou ao ver que uma de suas canções abria a novela. Ela se agarrou a mim chorando e agradecendo por tê-la ajudado a concretizar um dos seus sonhos. Esse momento ficará marcado para sempre na minha vida. Outro dos momentos que também não esquecerei... foi o Carnaval de mesmo ano, em que Zezé foi rainha e homenageada dos Acadêmicos do Sossego. Fui ao Rio e pude estar na sua casa, conhecendo o seu lado familiar, a mãe, a amiga, a matriarca de uma grande família. No sambódromo a magia aconteceu. Estava eu no carro alegórico de Zezé e senti a energia da escola contar a história da

"Deusa do Ébano". Embora já não estando juntos todos os dias, com um oceano pelo meio que nos separa, continuamos a nos falar regularmente por telefone, e cada telefonema começa sempre da mesma maneira: "Oi, amado". E sempre acaba da mesma forma, com um "eu te amo".

HUGO SOUSA
DIRETOR PORTUGUÊS

Quando a vi pela primeira vez, estava na tela grande do cinema, que ficou pequena pela exuberância da sua Xica da Silva. Minha juventude foi embalada por sua voz e interpretação cortante de "Magrelinha". Como fã do seu trabalho, consegui, como diretor, o prazer de encontrá-la em "Luz do Sol", "Rebeldes" e depois em "Escrava Mãe". Ganhei uma amiga guerreira que nunca fugiu da luta por justiça, de forma ampla. Todo o meu respeito e meu amor, minha amiga amada do coração.

IVAN ZETTEL
DIRETOR DE NOVELAS

Sempre fui fã da Zezé Motta. Tem uma cena sua inesquecível... no filme de Cacá Diegues, "Xica da Silva". Trata-se da sequência em que ela caminha pela cidade, com a carta de alforria nas mãos, sorrindo feliz, seguida por escravas e com trilha sonora de Jorge Benjor. É uma cena inesquecível. Walmor Chagas, seu dono e amante, causava frisson. Certa vez, chamei-a para gravar a narração de um vídeo para um evento cultural. Falei para ela que Xica da Silva foi um marco, um dos melhores filmes nacionais a que assisti. E ela disse que gostava de me assistir apresentando o Jornal da Manchete. Ela aceitou e me chamou para sua casa. Descobri então que ela mora no Leme, em um apartamento maneiro, com uma sala enorme. Vim a saber que ali viveu Clarice Lispector. Naquele dia, ela preparava um almoço aos amigos que receberia, para assistir a um jogo do Brasil, na Copa. Comecei a explicar o papel que ela faria na gravação. Eis que toca a campainha. Ela se desculpou e foi receber um espelho, que acabou pendurando no hall, na mesma hora. Continuamos a conversa e aconteceu um lance surreal. Do nada, ouvimos um barulho astronômico, ela correu para o hall e corri para ajudar. O espelho estava espatifado. Eu não sabia o que dizer. Ela disfarçou a frustração e concluímos o job. Antes de sair, falei: "Zezé, vou deixar um quadro que tenho do tamanho do espelho, mede 2 X 2 metros, para você enfeitar o seu hall, para receber os seus amigos". Ela disse que não precisava, que aquilo me daria muito trabalho. Cheguei com a tela enorme na sua casa. Ela agradeceu com aquele sorriso que todo mundo conhece.

JACYRA LUCAS
JORNALISTA / DIRETORA DA COLUNA DE LILIANA RODRIGUES, JORNAL O DIA

Zezé Motta para mim sempre significou trânsito. Trânsito entre várias tribos. Uma das primeiras atrizes que foi, para mim, referência no cinema, por causa de Xica da Silva. Ela teve um papel fundamental na minha vida profissional. Talvez eu tenha aprendido a fazer um currículo e me vender profissionalmente com ela, quando fui fazer meu cadastro no Cidan, projeto pioneiro dela que rodou o Brasil e esteve na Bahia, quando eu tinha 16 anos. Tive a oportunidade de fazer um cadastro, falando sobre os meus atributos profissionais. Esse cadastro quebrou o antigo argumento de que não existiam atores negros para ocupar lugares na teledramaturgia nacional. Sempre fui muito grato a ela por isso. Além disso, tem toda a admiração depois que a conheci. Zezé começou a fazer parte da nossa vida depois que a gente se conheceu. Passou a contar sua história, falando sobre toda sua experiência. Abriu caminho para todos nós. Tenho muito a agradecer a ela sempre.

LÁZARO RAMOS

ATOR

Falar que ela é nossa Deusa de Ébano é ser redundante, que com sua Xica da Silva virou Xica da Silva, a escrava, virar uma das figuras mais populares do Brasil é ser ainda mais recursiva. Depois do filme, o monumento histórico mais visitado em Diamantina é a casa de Xica. Algumas imagens da famosa escrava podiam ser encontradas, mas foi a linda imagem de Zezé que se fixou em nossa retina. Não houve uma única vez em que passei na frente daquela casa, no Arraial do Tijuco, e que não desejasse que de uma daquelas janelas surgisse a linda mulher de cara felina que Zezé tem. Ela tem uma gargalhada única. Eu a conheci nos anos 70 e me impactei imediatamente. Sorriso largo que acompanha uma meiguice rara de se encontrar em mulheres fortes como ela. Doce e meiga amiga da pele de veludo. Minha mais que amada canceriana.

Da voz macia e penetrante essa rainha dos canaviais nos arrebata, fazendo da nossa cabeça uma roda viva. E viva Zezé!

LÚCIA VERÍSSIMO

ATRIZ

Minha relação com Zezé, vai além das estrelas. Nós nos escolhemos no orfanato em que eu vivia, quando era pequena. Certa vez, ela foi nos visitar e nunca mais nos desgrudamos. Temos uma relação muito especial, bonita. Claro que todas as relações têm altos e baixos. Mas quando as estrelas escolhem, não há o que fazer. Entendo as nossas dificuldades. Mas tivemos mais altos do que baixos. Depois vieram minhas irmãs... mas me sinto sempre como sendo a sua eterna escolhida.

LUCIANA ALVARENGA

MICROEMPRESÁRIA NO RAMO DE ALIMENTOS E BEBIDAS (FILHA DE ZEZÉ)

É quase impossível pensar na Zezé e a imagem de seu sorriso expressivo não vir à cabeça. Ela é uma presença que conquista e impacta, que nos faz sorrir e querer tê-la como inspiração diária. Mas não é sua força interior, tão viva em seu olhar, nem tampouco

a simpatia, que contagia a todos ao seu redor. O que acho de mais incrível na Zezé é a sua elegância caminhando de mãos dadas à sua simplicidade.

Conheci Zezé num jantar, mas foi morando no mesmo flat que ela, em Campinas, durante as gravações de "Escrava Mãe", que pude ter a honra de admirá-la de perto. Em meio ao início caótico de mudança de estado, comentávamos durante um café da manhã o que cada uma de nós sentia falta na nova e provisória residência. Mencionei que não tinha pano de prato para enxugar a louça. Na mesma noite, após um dia exaustivo de gravação, a recepcionista do flat disse ter um pacote para mim. Dona Zezé havia deixado um embrulho com três fofos panos de prato. Tão simples e tão necessário naquele momento e eu o via como uma caixa de joias. Não apenas pela utilidade em si, mas por ter sido lembrada por essa grande mulher e, principalmente, pelo sentimento de que, mesmo longe da família, havia alguém ali que me acolhia. E ela era assim com todos, esbanjava gentileza.

Nos longos trajetos para as gravações, era de se admirar Zezé gerenciando pelo celular sua agenda lotada. Resolvendo problemas de banco, de funcionários, ajudando a sua mãe e a sua família, sempre presente para todos. Passamos vários momentos *juntas... em aeroportos, vans, no hall do flat. Sempre linda, inteligente, gentil. Zezé transmite vida. Zezé é inspiração.*

MANUELA DUARTE
ATRIZ

COM A FILHA LUCIANA ALVARENGA: "MINHA RELAÇÃO COM ZEZÉ VAI ALÉM DAS ESTRELAS".

Se eu fechar os olhos agora, ainda consigo lembrar com perfeição e encantamento uma memorável sequência do filme "Xica da Silva": ao som da música-tema de Jorge Benjor, a ex-escrava desfila pelas ruas do Tijuco, esfuziante, rodeada por mucamas, exibindo a recém-conquistada carta de alforria. O vestido rococó, a peruca loura, o sorriso arrebatador, toda a estética da cena e a presença luminosa de Zezé Motta são imagens que permanecem pulsantes não só em minha memória, mas no imaginário coletivo de todos os brasileiros. Poucas atrizes nacionais conseguiram sintetizar de forma tão poderosa a essência de uma personagem. O épico "Xica da Silva" desponta na carreira de Zezé como um ícone, mas sua trajetória artística vai muito além. No cinema construiu sólida carreira, filmando com alguns de nossos mais renomados cineastas. Entre outros trabalhos, destaco "Tudo Bem", de Arnaldo Jabor, em que protagonizou outra cena inesquecível, cantando irreverente, e à capela, a música "Como Nossos Pais". Há também a comédia "Dias Melhores Virão", de Cacá Diegues, na qual contracena com Marília Pêra. Deixou também sua marca inconfundível em nosso teatro, televisão e na música. Grande intérprete da MPB, atriz completa e de forte personalidade cênica, Zezé Motta é uma artista legitimamente nossa, genuinamente brasileira.

MARCELO DEL CIMA
RELAÇÕES PÚBLICAS E COLECIONADOR

Minha querida Maria José, assim a chamo. Na década de 90 nos conhecemos. Estávamos em São Paulo, nos estúdios da TV Record. Eu com a atriz e cantora Tania Alves, que ia se apresentar no mesmo programa que Zezé. Quando passei no corredor ao seu lado, ela pegou na minha mão e disse: "Quero trabalhar com você". Foi assim que tudo começou. Fizemos lindos shows, como "Zezé canta Melodia". Foi devido a este show, inclusive, que virei empresário de Marília Pêra. Zezé a convidou para dirigir o espetáculo e ficamos muito próximos. Depois veio "Divina Elizeth", feliz homenagem à Elizeth Cardoso, além de muitos outros trabalhos. Viajamos por vários países para divulgar a sua arte. Fomos a Portugal, Angola e Estados Unidos. Zezé é amada em diversos países. As viagens com ela marcaram a minha vida para sempre. Um orgulho poder ver o seu sucesso, tão de perto, em tantos lugares diferentes. E assim vamos nós, em mais de duas décadas de parceria, amor, admiração e respeito. Viva a nossa eterna Xica da Silva! Viva Maria José! Viva Zezé!

MARCUS MONTENEGRO
AGENTE DE ATORES / EMPRESÁRIO DE ZEZÉ

Zezé para mim é o sinônimo de uma mulher contemporânea, que tem um jeito simples e iluminado de viver. Ela me ensinou, como uma mestra, a ser a mulher que sou. Viver com Zezé é uma "faculdade", um aprendizado diário que levarei por toda a minha vida. Com amor, Nadine.

NADINE LANGMANN
BAILARINA E ATRIZ (FILHA DE ZEZÉ)

COM A FILHA NADINE LAGMANN: "VIVER COM ZEZÉ É UMA FACULDADE".

Já conhecia Zezé, sem a ter conhecido ainda. Assim que cheguei ao Brasil, para gravar "Escrava Mãe", quando vi aquela senhora de sorriso rasgado e olhar meio perdido, dei-me realmente conta do passo que estava prestes a dar na minha carreira profissional. Ela me acolheu como um verdadeiro filho, a mim e à Gaby (Gabriela Moreyra), que fazia meu par romântico. Contracenávamos bastante com ela. Que prazer e delícia era poder estar ali, no mesmo set, a partilhar do talento da atriz que desde criança eu admirava... do sofá da minha casa, de pijama, através da TV. Mal poderia imaginar naquela altura que um dia iríamos partilhar da mesma cena. Depois, o Universo me iria dar o privilégio de travar uma linda amizade que criamos e que ficará para a vida. "Linda Zezé" é como eu a trato. É com um abraço apertado que guardo somente para aqueles que me tocam o coração e a alma. Ela retribui-me sempre com um sorriso rasgado que só ela sabe dar... dizendo: "Amado!" São raras as conversas que temos que não terminam com "Eu te amo". Rimos muito juntos. Zezé tem gírias que vou aprendendo e que tento imitar com meu sotaque português. Obrigado, linda Zezé. Te Amo!

PEDRO CARVALHO

ATOR PORTUGUÊS

Com o filho Robson: "Ela me deu a família que sempre sonhei".

Sou um ex menino de rua, morei na Central do Brasil quando criança. Depois, fui morar num abrigo, quando me recolheram na Central. Quando você vai para um abrigo, perde a esperança de ser adotado, ainda mais com 13 anos. Foi aí que minha vida mudou. O educador do abrigo sorteou um jovem para ir ao seu casamento. Zezé era convidada e assim a conheci. Eu estava sentado num lugar reservado, esperando o bufê. Morar em abrigo era chato, a comida era sempre a mesma. A festa era a oportunidade de comer coisas gostosas. Eu não sabia quem era Zezé, que ela era famosa, atriz. De repente, ela chegou, sentou-se ao meu lado e perguntou quem eu era. Comecei a contar sobre a minha vida. Ela falou: "Na sexta-feira, vou ao abrigo pedir autorização para você passar o final de semana comigo. Quer?" Fiquei animado, mas não acreditei muito nas suas palavras. E na sexta-feira ela estava lá. Passei o fim de semana na sua casa e depois um Natal. Foi o melhor Natal da minha vida. Eu nem sabia o que era Natal… não sabia o que era amor. Todos os filhos reunidos. Então passei a saber o que era família, o que era carinho de mãe… Tudo isso foi Zezé que me apresentou. Zezé não é só minha mãe, mas foi um anjo que apareceu na minha vida. Tudo que tenho e sou é por causa dela. Zezé me deu a família que sempre sonhei.

ROBSON DE SOUZA
AUXILIAR ADMINISTRATIVO DO RETIRO DOS ARTISTAS (FILHO DE ZEZÉ)

A primeira vez que encontrei Zezé foi nas gravações da novelinha infantil "Floribella", da Bandeirantes. Lembro-me de ter ficado extremamente emocionado, mas acho que nunca disse isso a ela. Depois, reencontramo-

-nos em "Escrava Mãe", e fomos vizinhos num flat em Campinas. Eu havia desenvolvido o hobby de fotografar bastidores das obras que participo e tive a felicidade de registrar Zezé (algumas fotos fazem parte deste livro) em sua plenitude artística, defendendo com todo o seu talento a personagem Tia Joaquina, uma sábia senhora que narrava nossa trama. Só posso agradecer à Zezé por me dar de presente esses momentos todos.

ROGER GOBETH

ATOR

Meu Deus, falar de Zezé Motta é difícil! Ela é tudo! É talentosa, boa amiga, boa companheira e muito divertida! Ela foi minha mãe, quando fiz o musical "Ó Abre alas", em que eu interpretava Chiquinha Gonzaga. Ficávamos juntas no camarim, no teatro Alfa Real. Tínhamos uma camareira que chamava Zezé de Santa, e eu de Santinha. Quem sabe pode surgir uma nova dupla sertaneja, Santa e Santinha?!

ROSAMARIA MURTINHO

ATRIZ

Não tinha contato mais íntimo com Zezé antes de encontrá-la nas gravações da novela "Ouro Verde", em Portugal. Eu a via em eventos teatrais e sempre nos cumprimentávamos carinhosamente. Em Portugal, tivemos oportunidade de conhecer um pouquinho mais uma da outra, embora tivéssemos gravado pouco juntas. Zezé é muito fácil, tivemos uma relação carinhosa. Tentamos marcar algumas saídas e encontros, mas o nosso ritmo intenso de gravações e nossas agendas não ajudavam. Depois nos encontramos em alguns eventos sociais e então nos aproximamos. Eu gosto de falar com ela, de trocar ideias... Ela é agradável, simples, generosa, o coração muito aberto, risonha, afetuosa. Com toda a equipe portuguesa ela era super atenciosa, querida, tanto com atores, como com os técnicos. Todos expressam gostar muito dela.

Em Portugal, percebi que Zezé é uma referencia importante de dramaturgia. As pessoas têm muitas lembranças dela. Adoravam descobrir a gracinha de pessoa que é Zezé. Pouco antes de ela voltar para o Brasil, conseguimos reunir um grupo pequeno de pessoas. Cantamos, dançamos e conversamos muito! Muita gente ficou mexida com a sua despedida.

SILVIA PFEIFER

ATRIZ

Agradeço a Deus todos os dias por ter me dado essa mãe. Falar de Maria José Motta é falar de uma mulher virtuosa, sábia e guerreira, que age com o pulso firme de um gigante e ao mesmo tempo com a doçura de uma criança. Zezé possui o coração maior do que ela mesma. Pensa tanto nos outros que, às vezes, se esquece dela mesma. Minha relação com minha mãe sempre foi de muito amor, respeito e admiração. Queria ser metade do que ela foi como mãe foi para mim. Tento ser para os meus filhos a mãe que ela me ensinou a ser. Lealdade, sinceridade, respeito, humildade. Tudo isso que Zezé me passou procuro repassar para eles.

SIRLENE ABREU
PRODUTORA DE EVENTOS E PROFESSORA DE DANÇA (FILHA DE ZEZÉ)

Zezé é a nossa grande estrela, nossa referência, nosso amor. Minha maior sorte foi tê-la ao meu lado, logo no início da minha carreira. Ela é um poço de generosidade. Acolheu-me e também me alertou, com muita suavidade, sobre os perigos de ser atriz num país tão complexo como o nosso. Obrigada, Zezé, por seus conselhos, suas palavras, seu ombro e principalmente seu colo.

TAÍS ARAÚJO
ATRIZ

Quando conheci Zezé, era uma menina descobrindo a vida. Ela me despertava curiosidade. Trabalhamos juntas em "Floribella" e lembro que me identifiquei com suas emoções infinitas e vivências verdadeiras. Um tempo depois, eu sofria de amor, meu primeiro amor. Resolvi me separar por intuição. Sentia que precisava seguir a vida. Aquilo ardia de dor e contradição. Um dia, andava de skate pela lagoa e chorava sozinha por este conflito. Bati na porta da Zezé sem avisar. Ela me abraçou, me colocou no colo e disse: "Minha filha, tenho uma notícia boa e uma má. Vai passar. Essa é só a primeira, não é a última vez que você vai passar por isso". Aquilo marcou a minha vida.

Depois, fomos vizinhas por um tempo em Lisboa. Zezé é a minha inspiração. Uma amiga que contribui com sua arte. Que o mundo tenha mais pessoas como Zezé.

ÚRSULA CORONA

ATRIZ

Agradecimentos

Anderson Rocha – Pelo capricho nas fotos da coleção Del Cima.
A Antônia Fontenelle.

Alexandre Staut – Pelas excelentes observações, toques com seu olhar clínico e por nossa edição.

Cacá Diegues – Pelo prefácio e pelas belas fotos de filmes que Zezé participou com sua direção.

Carlos Dimuro – Pelo poema feito especialmente para Zezé, para esta biografia.

Cedoc – Rede Globo – Pela parceria de sempre, com seu rico material de telenovelas.

Jorge Marcílio – Pela parceria fotográfica.

Junia Cestari – Pela grande parceria cultural através do Cilc Idiomas e pela divulgação de minha obra aos seus alunos.

Marcelo Del Cima – Pelas ricas fotos da coleção Del Cima, presença constante em meus livros.

Marcus Montenegro – Por ser o grande incentivador dos meus projetos literários e pela parceria de vida.

Plural Interteniment Portugal – Pela grande ajuda de Inês Cortes e José Retré com o material da novela "Ouro Verde".

Zezé e o ator e escritor Cacau Hygino, em 2017.

Ricardo Cravo Albin – Pelo texto de orelha, que enriqueceu esta obra.

Roger Gobeth – Pelas fotos que fazia nos bastidores da novela "Escrava Mãe", que gentilmente nos cedeu.

Soraia Reis – Por ser responsável pelo surgimento deste livro, e por sua paciência, tranquilidade e carinho como conduziu o trabalho.

TVI – Pelas lindas fotos cedidas da novela Ouro Verde.

Vera Donato – Pelas fotos. Minha grande parceira de tantos livros.

Vinicius Belo e a todos que cederam fotos, gentilmente, para este livro.

Agradecimentos à Escola de Samba Arrastão de Cascadura, do Rio de Janeiro, que homenageou a atriz com o enredo "Zezé, Um Canto de Amor à Raça", do carnavalesco João de Deus e nos permitiu reproduzir a letra no livro.

Créditos de imagens

MIOLO

ACERVO PESSOAL DA ARTISTA: PÁGINAS 24, 36, 42, 60, 64, 108, 112, 192, 194, 197, 207, 210 E 212

ACERVO/ TV GLOBO: PÁGINAS 100 E 158

LUZ MÁGICA PRODUÇÕES/ CACÁ DIEGUES: PÁGINAS 70, 84 E 122

CARLOS DIMURO: PÁGINA 15

DIVULGAÇÃO: PÁGINA 139

ELLEN SOARES/ TV GLOBO: PÁGINA 166

JORGE BAUMANN/ TV GLOBO: PÁGINA 176

NELSON DI RAGO/ TV GLOBO: PÁGINAS 96 E 133

NOVELA OURO VERDE/ TVI TELEVISÃO INDEPENDENTE S.A.: PÁGINA 170

RITA LEE E ROBERTO DE CARVALHO: PÁGINAS 110 E 111

ILUSTRAÇÕES AFRICANAS – PÁGINAS: 15, 110 E 111, 135, 174 E 175. REFERÊNCIA BIBLIOGRÁFICA: *ADINKRA - SABEDORIA EM SÍMBOLOS AFRICANOS* (LUIS CARLOS NASCIMENTO, ELISA LARKIN; PALLAS EDITORA – 2009).

ROBERT SCHWENCK: PÁGINA 20

VERA DONATO: PÁGINAS 186 E 220

G.R.E.S ACADÊMICOS DO SOSSEGO (ADEMIR RIBEIRO / BERTOLO / FÁBIO BORGES / FELIPE FILOSOFO / JOÃO PERIGO / MARCELO DO RAP / PAULINHO JU / SÉRGIO JOCA / WALACE OLIVER): PÁGINAS 174 E 175

G.R.E.S ARRASTÃO DE CASCADURA: PÁGINA 135

CADERNO DE IMAGENS

ACERVO/ TV MANCHETE: PÁGINA 10 (2A FOTO)

ACERVO PESSOAL DA ARTISTA: PÁGINAS 4 (1A FOTO), 8 (2A FOTO), 15, 16 (3A FOTO), 17 (2A FOTO), 18, 19 (2A FOTO)

ACERVO/ TV GLOBO: PÁGINAS 2 (3A FOTO), 8 (1A FOTO), 9 (2A FOTO), 10 (1A FOTO)

ANDERSON ROCHA: PÁGINA 19 (1A FOTO)

BETTO PEREIRA: PÁGINA 14 (2A FOTO)

LUZ MÁGICA PRODUÇÕES/ CACÁ DIEGUES: PÁGINAS 1, 5 E 6

CRIS GOMES: PÁGINAS 22 E 23

DIVULGAÇÃO: PÁGINAS 2 (2A FOTO), 3, 4 (2A E 3A FOTOS), 7 E 9 (1A FOTO)

GUGA MELGAR: PÁGINA 13 (2A FOTO)

JEFERSON DE: PÁGINA 14 (1A FOTO)

JORGE BAUMANN/ TV GLOBO: PÁGINA 13 (1A FOTO)

LUIZ BERENGUER: PÁGINAS 24 E 25

NELSON DI RAGO/ TV GLOBO: PÁGINAS 11 (2A FOTO) E 12 (1A FOTO)

NOVELA OURO VERDE/ TVI TELEVISÃO INDEPENDENTE S.A.: PÁGINAS 28 E 29

PATRÍCIA RIBEIRO: PÁGINA 16 (1A FOTO)

RAQUEL CUNHA/ TV GLOBO: PÁGINAS 11 (1A FOTO) E 32

RENATO ROCHA MIRANDA/ TV GLOBO: PÁGINA 20 (1A FOTO)

ROGER GOBETH: PÁGINAS 26 E 27

TARCÍSIO DE PAULA/ SESC MINAS: CAPA E PÁGINA 21 (1A FOTO)

VANIA TOLEDO E RUTH FREIHOF: PÁGINA 2 (3A FOTO)

VERA DONATO: PÁGINAS 17 (1A FOTO), 21 (2A FOTO), 30 E 31

VINÍCIUS BELO: PÁGINA 16 (2A FOTO)

ZÉ PAULO CARDEAL/ TV GLOBO: PÁGINA 12 (2A FOTO)

ATRIZ EM "XICA DA SILVA", PAPEL QUE CONSOLIDOU SUA CARREIRA.

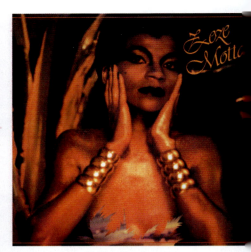

LP "Zezé Motta", de 1978.

Programa do show "Zezé Motta e Grupo Mar Revolto", de 1977 (Zezé posando de costas)

A atriz em "Supermanoela", novela da Rede Globo, 1974.

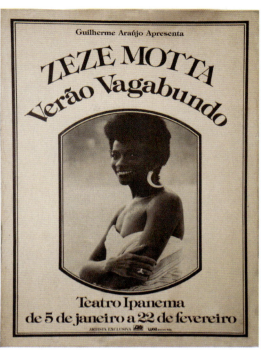

No sentido horário: cartaz do show "Dengo", Rio de Janeiro, 1980; cartaz do show "Verão Vagabundo", 1976; cartaz do Festival de Cinema Brasileiro na França, 1987, em que a atriz aparece de Xica da Silva.

Zezé (à esquerda, ao fundo) e o coro do musical histórico "Roda Viva", de Chico Buarque, em 1968. No elenco, estão também Kadu Moliterno, Lucé Santos e Wolf Maia. Direção de Altair Lima.

As três fotos compõem cenas do musical "Godspell", de 1974.

Zezé Motta com Walmor Chagas em "Xica da Silva", de 1976.

Em primeiro plano, como Xica da Silva, em cena do filme que abriu as portas do mundo para a atriz.

ZEZÉ DÁ VIDA À PERSONAGEM XICA DA SILVA, CONQUISTANDO O PAÍS DE PONTA A PONTA.

O DIRETOR CACÁ DIEGUES DIRIGINDO AMBAS AS CENAS, EM *MAKING OFF*, DO FILME QUE SE TORNARIA CÉLEBRE, UM CLÁSSICO DO CINEMA NACIONAL.

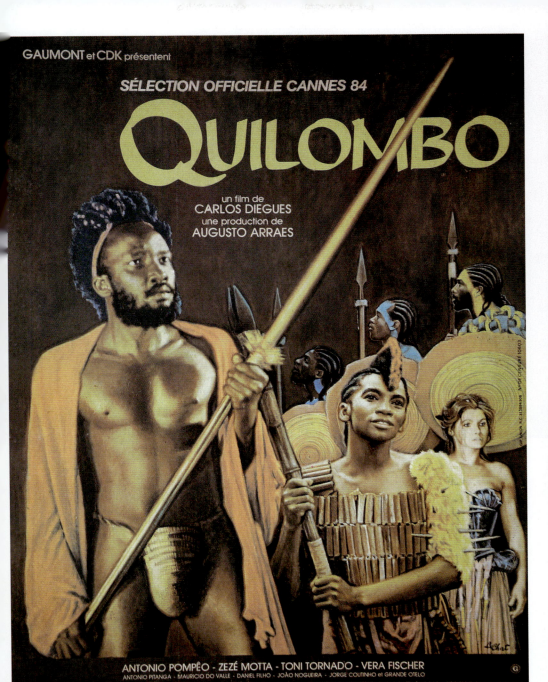

Cartaz do longa-metragem "Quilombo", de 1984.

Zezé em Águia na cabeça, de Paulo Thiago; filme teve grande destaque no Festival de Cinema de Gramado, RS.

Ensaio fotográfico na praia para o show "Zezé Motta", de 1978.

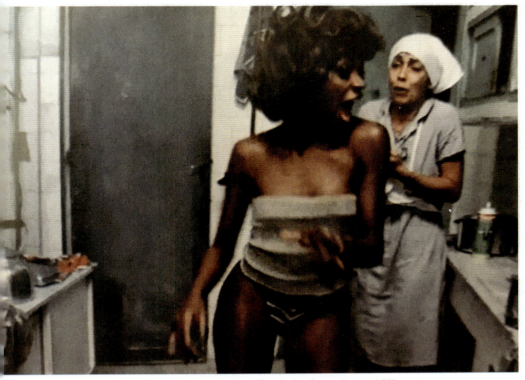
Zezé e Maria Silvia contracenando em "Tudo Bem", de Arnaldo Jabor, em 1978.

A atriz em mais uma novela global, "Transas e Caretas", de 1984.

Na novela "Corpo a Corpo", de Gilberto Braga, em 1978.

Na novela "Kananga do Japão", de Wilson Aguiar Filho, na extinta TV Manchete, 1989.

Na novela "Corpo a Corpo", de Gilberto Braga, 1984. A trama causou polêmica devido ao preconceito racial.

Em "A Próxima Vítima", de Silvio de Abreu, na Rede Globo, em 1995. Polêmica por conta de namoro gay na tevê brasileira.

Em "Porto dos Milagres", de Agnaldo Silva e Ricardo Linhares. Rede Globo, 2001.

Em "Memorial de Maria Moura", de Jorge Furtado. Rede Globo, 1994.

Em cena do musical "Ó, Abre Alas", de Maria Adelaide Amaral, em 1998.

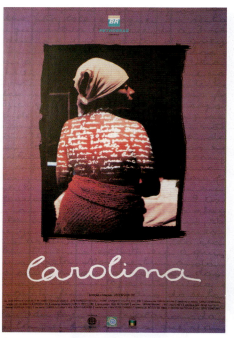

Cartaz do documentário "Carolina", de Jeferson De, sobre a escritora Carolina de Jesus, 2003.

Tela que a artista ganhou do pintor Betto Pereira.

Robson e Mariana, sobrinhos de Zezé, e os sobrinhos-netos da atriz Miguel e Pedro Gabriel.

Zezé com a mãe, Elazy Motta, que sempre a incentivou a seguir carreira artística.

Irmão de Zezé, Romilton.

Zezé e Robson, seu filho, em 2015.

Zezé com a filha Sirlene.

A ATRIZ E A FILHA MAIS VELHA, LUCIANA.

ZEZÉ ABRAÇANDO AS FILHAS CINTIA E CARLA, A SOBRINHA ERIKA E A AMIGA CARLA VIDAL.

NADINE CURTINDO A MÃE.

Em casa, com o neto Gabriel, no mítico apartamento onde a atriz mora, no Leme, RJ.

A atriz na formatura da sobrinha Erika.

Com o empresário e amigo Marcus Montenegro.

Com a comadre Marília Pêra, em dois momentos distintos: 2013 e 1972. Marília foi a grande incentivadora de Zezé desde o começo de sua carreira.

Zezé na minissérie Cinquentinha, escrita por Agnaldo Silva e Maria Elisa Berredo com direção de Wolf Maya, 2009.

Em apresentação no Palladium, na capital mineira, ao lado do pianista Ricardo Mac Cord, 2012.

Capa do CD: "O samba mandou me chamar".

Desfile na Escola de Samba Acadêmicos do Sossego, em que foi homenageada, 2017.

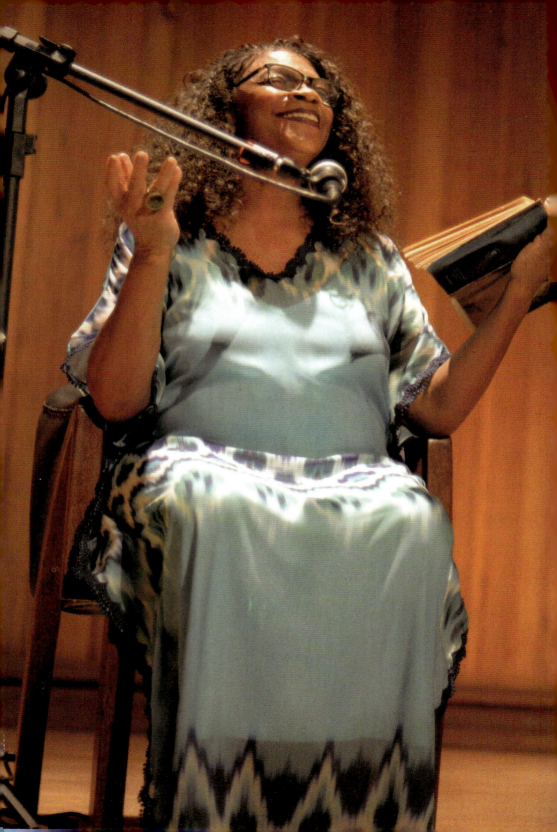

Zezé na Biblioteca Mário de Andrade, em São Paulo, lendo textos da atriz, compositora e escritora Elisa Lucinda, 2018.

Em cena na novela "Escrava Mãe", de Gustavo Reiz, em registros feito pelo colega de cena Roger Gobeth. Rede Record, 2016.

Cenas da novela portuguesa "Ouro Verde", de Maria João Costa, TVI, 2017.

Também em "Ouro Verde", ao lado de Gracindo Junior.

Para esta produção estrangeira, Zezé passou uma temporada em Portugal.

Ensaio fotográfico de Zezé feito por Vera Donato e Jorge Marcilio especialmente para este livro. Acima com o ator, escritor e amigo, Cacau Hygino.

A atriz na novela "O Outro Lado do Paraíso", de Walcyr Carrasco. Rede Globo, 2018.

Este livro foi publicado em outubro de 2018 pela Companhia Editora Nacional.
CTP, impressão e acabamento pela Gráfica Impress.